Langenscheidt

Frau-Deutsch
Deutsch-Frau

Schnelle Hilfe für den ratlosen Mann

von und mit Mario Barth

Langenscheidt

Berlin · München · Wien · Zürich · New York

Impressum

Langenscheidt Frau-Deutsch / Deutsch-Frau
von und mit Mario Barth

Layout: Meißner & Reisser GbR
Zeichnungen: Jörg Reymann

Umwelthinweis: gedruckt auf chlorfrei gebleichtem Papier

© 2004 by Langenscheidt KG, Berlin und München
Satz: Franzis print & media GmbH, München
Druck: Kösel, Krugzell
Printed in Germany
ISBN 978-3-468-73122-8
www.langenscheidt.de

29. 30. 31. 09 08 07

Inhalt

Danksagung

Dieses Buch widme ich meinem Opa Prof. Dr. Karl Gellert
Er kannte mich nur als lernfaulen Chaoten, und was ist au
mir geworden? Ein schreibender Chaot!

Danke für die schönen Stunden!

iebe Leser und Leserinnen,

ieses Buch wurde einzig und alleine geschrieben, um das 'erständnis zwischen Männern und Frauen zu verbessern. mmer öfter kommt es zu Schwierigkeiten zwischen Mann ınd Frau, und ich weiß, warum …

Frauen sprechen einfach eine andere Sprache als Männer.

Liebe Frauen, bevor ihr jetzt denkt: »*Bohhh, wat iss dat denn für ein Arsch…!*« – Stopp, das ist nicht ›öse gemeint, doch Frauen und Männer sprechen nicht lieselbe Sprache. Frauen benutzen ganz oft Subtexte. Лänner wiederum sagen einfach das, was sie meinen, ›hne Hintergedanken oder irgendwelche Anspielungen.

'rauen denken um 16 Ecken, während wir Männer teilweie noch nicht mal bis 16 zählen können! Wir Männer sind ıalt einfach viel direkter. Ich möchte euch ein Beispiel ʝeben. Nehmen wir mal das Thema »Eheliche Pflichten«:

Лeine Freundin liegt nackt im Bett, die Bettdecke über sich ʝlatt gestrichen, die Arme rechts und links ganz gerade ıeben dem Körper. Als ich ins Bett komme, sagt sie plötzich aus dem Nichts: »*Schaaatz, wir sind jetzt schon so ange zusammen, du müsstest eigentlich ganz genau wis-*

sen, was ich jetzt gerne möchte. Wenn du das aber nich mehr weißt, dann liebst du mich nicht mehr!«

Das ist die Art von Frauen, einem Mann mitzuteilen, das sie Lust haben auf körperliche Artistik (auch Sex genannt) Wir Männer hingegen liegen im Bett, die Socken noch an und sagen einzig und alleine nur: »*Eyhhhh und ???«*

Ich weiß, für Frauen ist es schwierig nachzuvollzie hen, dass wir Männer nur das sagen, was wir auch meinen. Es liegt einfach daran, dass wir Männer primitive sind als Frauen, was aber nicht heißt, dass wir wenige Spaß am Leben haben.

Also, lieber Leser und liebe Leserin: Ihr seht, die Verständi gung zwischen Männern und Frauen ist alles andere als einfach. Aber dafür gibt es ja jetzt diesen Sprachführer Hier findet ihr die eigentliche Bedeutung von Wörtern und Redewendungen und bekommt auch wichtige Tipps fü ein stressfreies Zusammenleben im Alltag.

Ich wünsche euch auf alle Fälle viel Spaß mit »**Frau-Deutsch**« und viel Erfolg beim Erlernen dieser Fremd-sprache!

PS: Für körperliche Reaktionen oder Veränderungen in einer ode mehreren Beziehungen wird nicht gehaftet … So, haben wir das auch geklärt!

1. Alltag

Mann und Frau am Frühstückstisch, der von der Frau liebe-voll gedeckt worden ist. Er setzt sich einfach hin und fängt an zu essen – was man halt so am Frühstückstisch macht. Es dauert keine fünf Minuten, da hört man von der Frau *»Na toll!!!«* Mehr kommt nicht, einfach nur *»Na toll!«* Der Mann guckt kurz hoch und isst weiter. Es vergehen keine fünf Minuten, da steht sie auf, schmeißt die Serviette hin und geht.

Was ist passiert?

Sie hatte erwartet, dass er trotz Mörderhunger erst ausgie-big den tollen und vor allem liebevoll gedeckten Tisch bewundert, bevor er anfängt zu essen. O.K., am Anfang einer Beziehung kann ich das auch noch verstehen; da tun wir Männer alles für eine Frau. Doch nach mehreren Ehe-jahren sieht es leider (für manchen auch zum Glück) anders aus.

Der Knaller ist, dass er es noch nie gesagt hat, sie es aber immer wieder von ihm hören möchte.

Bei wem liegt nun der Fehler? Ich glaube, Frauen denken allen Ernstes, dass wir Männer unser Gedächtnis nach einem bestimmten Zeitabschnitt verlieren und alles bei uns von vorne anfängt. Anders kann ich mir nicht erklären, warum die Frauen es immer und immer wieder erwarten.

Liebe Frauen, wir Männer sind einfach ein wenig doof, aber glücklich.

Weiter: Sie ist also sauer und verlässt das Esszimmer. Er frühstückt in Ruhe zu Ende, geht dann zu ihr und fragt ganz direkt: »*Was ist denn?*« Sie antwortet: »*Nichts, schon gut!*«

Laut Duden bedeutet diese Aussage, dass alles in Ordnung ist und er sich weiter keine Gedanken zu machen braucht.

Neeeeiiiiinn, wie gesagt: nur laut Duden, aber nicht laut Frau-Deutsch! Jetzt geht es erst richtig los, jetzt wird es kompliziert: Sie meint nämlich gar nicht: »*Nichts, schon gut!*«, sondern: »*Frag doch nicht so blöde, du weißt genau, was nicht in Ordnung ist. Auch wenn ich jetzt zwar sage, es ist in Ordnung, erwarte ich von dir, dass du mich mindestens noch dreimal fragst, ob auch wirklich alles in Ordnung ist*«.

Dies nennen die Frauen Subtext. Subtext ist, wenn Frauen das eine sagen, aber eigentlich etwas anderes meinen.

Um das genauer zu erklären, gebe ich euch ein Beispiel aus meiner Beziehung:

Es ist noch nicht so lange her, da bin ich nach Hause gekommen, bin zu meiner Freundin und hab gefragt: »*Schatz, hast du was dagegen; ich wollte mit einem Freund ein Bier trinken gehen … zwei Wochen ... auf Mallorca?*«
Darauf sie: »*Fahr doch!!!*« Ich denk, die ist ja geil drauf, die kannst du weiterempfehlen. Ich nach oben, meinen Koffer gepackt, die Treppe wieder runter, will gerade aus dem

Haus – da steht sie schon an der Haustür, die Arme ausgebreitet und mit fragendem Blick. »*Wo willst du denn hin?*« Ich darauf: »*Wat ... wie ...? Ich hab dich doch gefragt. Ich muss los. Meine Kumpels warten schon auf mich. Heute Abend wird druckbetankt.*« Da steht sie noch immer vor der Tür und sagt: »*Nööö.*« Ich bin total überfordert und sage: »*Hör mal, ich hab dich gefragt. Du hast Ja gesagt, und nun muss ich los!*«

Darauf steht sie da, leicht in den Knien gebeugt, mit verschränkten Armen, und spricht im Singsang: »*Jaaahhaaa*« – das Wort total lang gezogen. »*Jaaahhaaa, ich hab zwar Ja gesagt, aber Nein gemeint. Du musst mir auch mal richtig zuhören. Typisch Mann!*«

? **Da frag ich mich allen Ernstes: Wenn es so typisch für uns Männer ist, warum wundern sich denn dann die Frauen über uns?**

Nächstes Mal frag ich erst gar nicht, sondern fahr einfach nach Mallorca. Und wenn ich dann zwei Wochen später wiederkomme und sie mich fragt, wo ich war, sag ich: »*Zigaretten holen!*«

Vokabeln

Na toll!	Du Idiot bekommst mal wieder nicht mit, was um dich rum passiert!
Typisch Mann!	*Hierbei handelt es sich um eine Redewendung, die über 2684 Bedeutungen hat. Daher kann ich sie hier nicht mal eben übersetzen. Sorry!*
Nichts, schon gut!	Frag doch nicht so blöde!
Subtext	*Hierbei handelt es sich um keine Vokabel, sondern eher um eine genetische Lebenserhaltungstaktik einer Frau. Sie benutzt den angeblichen Subtext, um sich immer ein Hintertürchen offen zu halten. Frauen nennen das intelligent. Wir Männer sagen dazu* »Scheiße, warum ist uns das nicht eingefallen?«
Jaaahhhaaa!	Warte noch einen Augenblick, ich versuche gerade, den Spieß umzudrehen!
Nööö.	Ich weiß, dass ich vorher etwas anderes gesagt habe, doch das ist mir jetzt egal.
Fahr doch!	Wehe, du fährst!
Viel Spaß!	Na super, ist der doch gefahren!
Wäre schön, wenn du dich meldest.	Wehe, du rufst nicht an!
Brauchst dich nicht melden.	Ich werde dich jeden Tag mit Kontrollanrufen nerven.
Du musst mir mal richtig zuhören.	Ich versuche, meinen Meinungswechsel zu vertuschen.

* Ich meine Einkaufen, Shoppen klingt aber cooler!

2. Frauen beim Shoppen

Liebe Männer, ich weiß, das Thema ist eine Qual für uns, und es bringt teilweise die schlimmsten Erlebnisse wieder hoch. Ich bin noch immer dabei, ausfindig zu machen, welches Land nicht ausliefert, damit ihr dahin verschwinden könnt. Es gibt auch schon die Überlegung, ein Heim für gestresste Männer zu errichten. Doch solange es noch nichts gibt: Einfach nur durchhalten.

Viele Männer fragen sich, warum ein Großteil der Frauen einem Shoppingwahn erlegen ist.

Ich glaube, es ist genetisch bedingt. Frauen wiederum fragen sich, wie wir Männer es schaffen, mit nur einem Paar Schuhe und vor allem auch nur zwei Unterhosen auszukommen.

Liebe Frauen, wir Männer sind kreativ und erfinderisch. Wir haben einen anderen Bezug zu Klamotten. Während Frauen nie etwas anzuziehen haben, obwohl der Kleiderschrank überquillt, reicht bei uns Männern für unsere Klamotten einzig und alleine ein kleiner Stuhl, wo wir die Sachen abends drüberhängen können.

Ja, wir Männer sind primitiv, aber glücklich.

Das Hauptthema bei Frauen, egal, wo du hingehst, ist und bleibt die Mode.

2. Frauen beim Shoppen

Eine kleine Anekdote: Vor einiger Zeit kam ich nach Hause und dachte, ich tu meiner Freundin mal etwas Gutes und schicke sie zum Einkaufen. War aber nichts! Es war eine Scheißidee, ich musste mit.
Ja, wir Männer müssen ganz oft mit. Nicht zum Bezahlen, nein, zum Tragen. Wir Männer sind zum Tragen da, sonst zu nichts. Es ist egal, was in dieser Tüte drin ist, 6 Gramm Seidenunterwäsche. Die Frau fängt an, mit ihren treuen und weiblichen Augen zu blinzeln, ihre Stimme verändert sich, wird leicht piepsig und schmerzerfüllt … *»Nimmst du mal die Tüte, die ist soo schwer, nimm doch mal bitte die Tüüüüüte, die ist wirklich soooooo schwer.«*

Der Knaller ist, wir nehmen ja dann auch die Tüte, obwohl wir wissen, dass es nur ein Trick ist. Die verarschen uns, und zwar ganz gewaltig.

Frauen können nämlich tragen, und das nicht wenig. Kaum bist du mal nicht zu Hause, da räumen Frauen die ganze Wohnung um. Da schieben sie Massivholzschränke von A nach B, quer durch die Bude. Sie tragen Mamorti sche bis in den 5. Stock, alleine, aber beim Einkaufen … »Nimmst DU mal die Tüüüüte?«

Wir sind dann sieben Stunden durch Karstadt gerannt. Der eine oder andere Leser fragt sich jetzt … wat, sieben Stunden?

Ja, sie war müde, darum auch nur sieben Stunden. Wir rannten durch ganz Karstadt. Kurz vor der Rolltreppe Richtung AUSGANG (ich schon voller Freude, dass es jetzt vorbei ist, schreie ganz laut auf: *»Freiheit, Freiheit!«)*, da schaut sie noch mal nach rechts. Sie wäre beinahe die Rolltreppe runtergeflogen, so hektisch und euphorisch war sie. Ich hörte nur noch ein leises Wimmern. Sie hatte einen Ruhepuls von 210, und sie wimmerte immer und immer wieder: »*Schaaaatz … Schuhhhhhheeee!!!*«

»*Nein, Scheiße*«, dachte ich. Mein ganzer ruhiger geplanter Abend zog vor meinem geistigen Auge an mir vorbei. All die schönen Momente, die ich mit meinen Kumpels im Keller mit einer Flasche Bier vor dem Fernseher hätte verbringen können. Alles vorbei, und warum? … Die Schuhe, das kann jetzt länger dauern.

Ich schaute sie an und sagte: »*Was, Schuhe in einem Kaufhaus, wo gibt's das denn!*«
Sie darauf: »*Nur mal kurz.*«*

* Achtung, Falschaussage. Hierbei handelt es sich um kein gewöhnliches »KURZ« – s. unten.

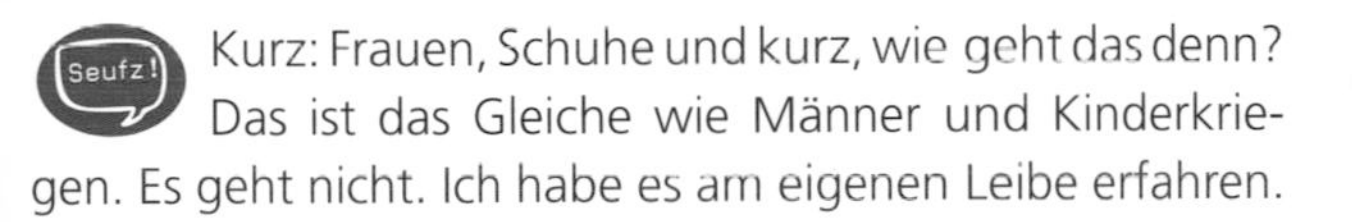

Kurz: Frauen, Schuhe und kurz, wie geht das denn? Das ist das Gleiche wie Männer und Kinderkriegen. Es geht nicht. Ich habe es am eigenen Leibe erfahren.

Sie rannte sofort auf die Sonderfläche zu. Ja, Frauen haben Sonderflächen. Da sieht man das erste Mal, dass wir Männer eine Randgruppe sind. Es gibt für Frauen ganze Sonderflächen, teilweise auch mehrere Etagen in einem Schuhcenter.

Wie oft ist es mir schon passiert, dass ich zu einer Schuhverkäuferin gegangen bin und gefragt habe: »*'tschuldigen Sie, wo sind denn hier die Herrenschuhe?*« Worauf sie dann gesagt hat: »*Da sind Sie schon dran vorbeigelaufen!*«

Wir Männer sind eine Randgruppe. Ich warte auf den Tag, an dem an den Geschäftstüren Schilder kleben:

MÄNNER UND HUNDE: DRAUSSEN BLEIBEN!

Auch das Thema »Schuhe« wird in einem Frauenleben gaaaaanz groß geschrieben. Durchschnittlich besitzen Frauen ca. 24 Paar Schuhe, Männer hingegen nur zwei bis drei Paar. Es liegt nicht daran, dass wir nicht mehr Schuhe finden, wir benötigen sie einfach nur zum Laufen, während Frauen bei Schuhen Gefühle entwickeln.

Es gibt drei Gründe, warum wir Männer es hassen, wenn Frauen Schuhe kaufen:

1. Wir müssen mit, auch wenn wir nur blöd rumstehen.
2. Wir müssen zu Hause die Regale bauen, wo die Schuhe Platz finden. Oft müssen wir auch unseren Hobbykeller räumen – da weicht unsere kleine Werkstatt dann einem begehbaren Kleiderschrank!
3. Wir müssen den ganzen Quatsch bezahlen.

Daher stammt auch der Begriff

M ä n n e r
O p f e r n
D a s
E r s p a r t e

Vokabeln

Ich hab nichts anzuziehen.	Geh bitte nicht auf die Aussage ein, sondern gib mir Geld zum Einkaufen.
Ahhhh.	Weiß nicht, was du meinst, aber rede ruhig.
Ach so!	Weiß noch immer nicht, was du meinst, es interessiert mich aber ehrlich gesagt auch nicht.
Ähähh.	Erzähl du ruhig.
Ähjähh.	Bla, bla, bla.
Schau mal!	Du musst das nicht sehen, Hauptsache, ich seh es.
Schatz!	der Bezahlende, der Träger der »Ich hol den zweiten Schuh«-Mensch
kurz	ca. ein bis zwei Stunden
nur mal kurz	ca. zwei bis drei Stunden

nur mal eben kurz	Gehört bei Frauen zur Kategorie »Redewendungen«. Genaue Definition unter »Redewendungen im Alltag«.
Schuhe!	Mach dich auf eine längere Wartezeit gefasst.
Den gibt es auch in Braun!	Den kaufst du mir auch.
Den gibt es auch in Blau!	Auch der wird gekauft!
Bald ist ja Sommer!	Frag mal, ob die den Schuh auch als offenen Schuh haben.
Da brauch ich dann nur noch die richtige Bluse!	Danach geht's zur Damenoberbekleidung!
Die laufen sich noch ein!	Sie sind ein bisschen klein, aber ich will sie haben!
Halt mal kurz!	Das trägst du bis nach Hause!
Stell dich schon mal an!	Du zahlst!

Redewendungen im Alltag:

»Nur mal kurz!«

Hierbei handelt es sich um keine definierte Zeitangabe. Menschen männlichen Geschlechts haben aufgrund dieser Aussage mehrere Wochen z. B. den Garten von Unkraut befreien und danach alles umgraben und neu bepflanzen müssen. Im Bereich *Shopping* ist die Aussage *»Nur mal kurz!«* abhängig von der Größe des Geschäfts, der Größe der Stadt und des Angebotes der kompletten Umgebung.

3. Frauen nach dem Kaufrausch

Nach dem Einkaufen denken wir Männer ja, es wäre jetzt vorbei mit der Hysterie. Nein, falsch gedacht, denn zu Hause geht es erst richtig los. Frauen ziehen, sobald sie zu Hause sind, alles noch mal an.

Berechtigt sind natürlich die Fragen von uns Männern:

1. Warum waren wir sieben Stunden bei Karstadt???
2. Habe ich etwas verpasst?
3. Macht sie das nur, um mich zu ärgern?

Ich persönlich glaube daran, dass es genetisch bedingt ist, dass Frauen, sobald sie zu Hause angekommen sind, alles noch einmal anziehen. Es ist mir kein Fall bekannt, dass so ein Verhalten auch bei Männern zu sehen gewesen wäre.

Nein, wir Männer ziehen die Schuhe im Laden an … passen bei Karstadt, passen also auch zu Hause!!!

Bei Frauen ist es etwas anderes. Sie argumentieren damit, dass das Licht zu Hause anders sei. Wenn was scheiße aussieht, kann man es ja umtauschen.

Das müssen wir Männer mal nach der Hochzeitsnacht probieren: »*Schatz, hier ist das Licht jetzt aber anders …*« Glauben Sie mir, die Frau bleibt. Da funktioniert es mit dem Umtausch nicht so einfach.

3. Frauen nach dem Kaufrausch

Wobei ich sagen muss, dass Frauen eh extrem zum Umtausch neigen. Teilweise habe ich den Eindruck, es wird einfach nur gekauft, um hinterher wieder umzutauschen. Ich denke, die Frauen machen das absichtlich, um uns Männer fertig zu machen.

Jaaa, wir werden doppelt bestraft. Erst beim Einkaufen, wo wir alles nach Hause schleppen müssen, und dann wieder beim Umtausch, wo wir alles wieder zurücktragen müssen.

Geil ist bei meiner Freundin auch immer die Antwort auf meine Frage: »*... wozu brauchst du denn das???*«

Sie. »*Weiß ich noch nicht, vielleicht kann man das ja ins Wohnzimmer stellen. Wenn nicht, kann man es ja auch umtauschen gehen. Innerhalb von 14 Tagen bekommst du das Geld zurück.*«

Geld zurück stimmt, aber nicht das Wort **»DU«**. Nein, **»DU«** hast es zwar bezahlt, aber beim Umtausch bekommt **»SIE«** das Geld zurück. Das nennt man Marktwirtschaft, zumindestens behaupten das die Frauen. Und wir Männer geben uns mit dem zufrieden. (Wie gesagt: primitiv, aber glücklich!) Eigentlich ist es die moderne Art der Geldwäsche.

Kommen wir zurück zur erneuten Anprobe zu Hause. Dabei handelt es sich nicht um ein einfaches Anprobieren, und es dient auch nicht der Bestätigung des Kaufes ... neeeiiiiiiinnnn:

Die Frau macht eine »After-shopping-Revivalparty«.

Sie schnappt sich die kompletten Klamotten, das Telefon wird mitgenommen, die beste Freundin wird angerufen, und dann geht es los. Jetzt wird alles genau per Telefon beschrieben, stundenlang. Die Frau findet das gut, und auch die Freundin, die sich alles anhört, findet das großartig.

Männer würden da etwas einfacher vorgehen. Der beste Freund wird angerufen: »*Komm mal vorbei!*« Und dann kann der sich das ansehen. Ende im Gelände. Nein, Frauen machen das lieber komplizierter und versuchen damit, die Telekom* über Wasser zu halten.

* Liebe Telekom-Aktionäre, seid froh, dass es Frauen gibt, sonst wär eure Kohle schon komplett futsch.

Gefährlich wird es aber erst, wenn die Frau die Meinung des Mannes einholen will. Das Verhalten ist nicht mit normalen Worten erklärbar, es ist einfach so. Hierbei handelt es sich nicht um eine normale Frage, was denn besser aussieht, sondern um eine Fangfrage. Egal, was Sie sagen, als Mann kann man da nur verlieren.

Sollte mal eine Situation auftreten, in der die Frau in einem Kaufhaus vor Ihnen steht, zwei Blusen in den Händen, eine davon rot, die andere blau, und dann die Frage stellt: »*Und ... welche findest du besser?*« – tun Sie sich und den anderen einen Gefallen, und rennen Sie. Rennen Sie, was das Zeug hält, Hauptsache weg. Sie können nicht gewinnen, geschweige denn, einem Streit* aus dem Weg gehen.

* Um Näheres über das Streitverhalten von Männern und Frauen zu erfahren, lesen Sie bitte Kapitel 11.

Folgendes passiert:

Sie sagen: »*... mir gefällt die rote Bluse besser!*«

Was kommt jetzt? Mit dieser Aussage haben Sie als Mann eine **Lawine** losgetreten. Seien Sie darauf gefasst, dass sofort eine Gegenfrage kommt.

Frau: *»Ja … warum???«*

»Na ja, ich find halt, dass dir Rot viel besser steht.«

Frau: *»Ach so, dann sehe ich in Blau also scheiße aus!!!«*

»Nein, hab ich nicht gesagt.«

Frau: *»Aber gemeint.«*

Jetzt droht die Situation zu entgleisen. Der Mann versucht sofort einzulenken, um sich den abendlichen Sex nicht ganz zu versauen.

»Blau sieht aber auch sehr schön an dir aus, da kommen deine Augen besser zur Geltung.«

ACHTUNG: Das hätten Sie nicht sagen dürfen!

Sofort kommt erneut eine Gegenfrage:

Frau: *»Seit wann schaust du mir in die Augen? Das Einzige, was dich interessiert, ist doch Sex.«* *

* Zum Thema »Sex« gibt es in diesem Buch auch ein eigenes Kapitel. Sie sollten es dringend lesen. Es ist Kapitel 9.

3. Frauen nach dem Kaufrausch

Jetzt ist der Punkt endgültig gekommen, an dem man als Mann aufgeben sollte. Die Frau ist und bleibt in diesen Fällen immer der Gewinner.

Niemals irgendwelche Körperteile in Verbindung mit Mode bringen. Das kann für eine Beziehung tödlich sein. Warum, das weiß keiner!

Der Knaller bei Frauen ist ja aber, dass sie permanent behaupten, sie hätten nichts anzuziehen. Nur, das Ding ist, Frauen haben keinen Kleiderschrank mehr, sie haben ein Kleiderzimmer, teilweise gibt es sogar Kleiderhäuser.

Frauen schmeißen ja nichts weg.

Die haben tonnenweise Anziehsachen. Der Kleiderschrank ist brechend voll, selbst die Stahlträger, die wir Männer in die Schränke eingezogen haben, sind schon komplett durchgebogen. Das liegt daran, dass Frauen alles gebrauchen können. Frauen trennen sich auch von nichts, maximal von ihrem Mann. Das ist auch der Grund, warum Frauen ihren Männern keine Stringtangas schenken: Wenn die mal kaputt sind, kann man sie nicht mehr als Lappen benutzen. Da ist zu wenig Stoff dran. Gut, es gibt Familien, da kann man die Strings dann wenigstens noch als Zahnseide gebrauchen ...

ST 37
REY

Vokabeln

Das ist aber günstig!	Das wird gekauft!
Würde ins Wohnzimmer passen ...	Einfach mal kaufen, keine Ahnung, wofür ...
Hier ist das Licht anders!	Ich zieh das alles noch mal an!
Noch mal anprobieren!	Ich brauche das Telefon!
Welche findest du schöner?	Ich weiß, welche ich nehme, also sag jetzt bloß nicht das Falsche!
blau	blau
rot	auch blau
Warum?	So, mein Freund, jetzt erklär mir mal, warum du so entschieden hast!
Warum?	Deine Erklärung reicht mir noch nicht!
Warum?	Ich hör dir gar nicht mehr zu, ich hab meine eigene Meinung!
Mir gefällt ... aber besser!	Ich kauf eh, was ich will!
Muss man angezogen sehen!	Wir bleiben noch etwas länger!
Sehen eigentlich beide schön aus!	Nun sag es endlich!
Oder???	Sag mir, ich soll beide nehmen!
Du denkst immer nur an das eine!	Damit meine ich nicht Schuhe!

Definition für »Aftershopping-Revivalparty«

Aftershopping-Revivalparty
Hierbei handelt es sich um das gleiche Verhalten wie im Kaufhaus selber. Sie zieht alles noch einmal an und hat dabei das Telefon am Ohr und erklärt ihrer besten Freundin haargenau, was sie denn jetzt gekauft hat. Zeitgleich nörgelt sie, dass **du** als Mann mal wieder überhaupt keine Geduld hattest und sie den Einkauf früher beenden musste, als sie eigentlich geplant hatte.

Antwort von der Freundin: »*Typisch Mann!*«

4. Frauen heben alles auf

Meine Freundin hebt sogar leere Joghurtbecher auf unc sagt: *»Da kann man ja etwas drin einfrieren!«*

In einem Joghurtbecher kann man etwas einfrieren. Das is so ein bisschen wie Tupperware für Arme. Frauen frierer da wirklich etwas ein, das muss man sich mal vorstellen nicht dass wir Männer zu Hause keine Tupperware hätten Der ganze Keller ist voll mit Puff- und Pengschüsseln*. Sie werden teilweise geschützt von den Eidgenossen**.

* Puff- und Pengschüsseln: Puff- und Pengdosen sind wie die Eidge nossen ein bestimmter Tupperdosentypus, Rest siehe Eidgenossen!
** Eidgenossen: Bestimmter Typus einer Tupperschüssel, der fast nu von Frauen gekauft aber zu 95 % von Männern bezahlt wird!

Ich persönlich nehme ja dann immer so ein kleiner Fruchtzwergebecher, stell mich in der Küche vo sie hin, halte den Becher zwischen Daumen und Zeigefin ger und frage mit erstauntem Blick: *»Schatz, wat frierst du denn da ein, in so einem **Riesen**fruchtzwergebecher?«*

Glaub mal nicht, dass ich meine Freundin jetzt so wei habe, dass sie sprachlos ist, nein, nein. Sie steht wild gesti kulierend vor mir und sagt mit piepsiger Stimme zu de Frage, was sie da denn jetzt einfriere: *»Kräuter!!!«*

Kräuter, Frauen frieren Kräuter in Fruchtzwergebecherr ein. O.k., jetzt stellt sich natürlich die in meinen Augen so gar berechtigte Frage: »*Wir haben 6000 Joghurtbecher im Schrank stehen, da sollen überall Kräuter rein, was wollen wir mit so viel Kräutern?*«

Daraufhin sagt sie sofort: »*… ja, ich friere da ja auch nicht nur Kräuter ein, sondern manchmal auch etwas Soße.*«

Soße, das ist der Oberknaller! Es gibt Frauen, die frieren wirklich etwas Soße ein, in einem Fruchtzwergebecher. Natürlich …

Bei allem Respekt Frauen gegenüber: Ich habe noch nie davon gehört, dass ein Mann in meinem Bekanntenkreis jemals von der Arbeit nach Hause gekommen ist und zu seiner Frau oder Freundin gesagt hat: »*Schatz, ich hab jetzt schon so ein bisschen Hunger auf einen Klecks Soße!!!*« Alternativ auch gerne: »*… auf eine Bratkartoffel!*«

Aber das ist einer Frau egal. Selbst wenn man versucht, eine Frau mit stichfesten Argumenten davon zu überzeugen, dass das Aufheben der Joghurtbecher totaler Quatsch st, bleibt sie eisenhart. Gegenargument ist dann auch gerne: »*Du hast halt keine Ahnung!*«

Es sind ja nicht nur Joghurtbecher, sondern auch Aluschaen vom Italiener, wo früher mal die Lasagne drin war, die man sich nach Hause bestellt hat. Das muss man sich mal vorstellen, was das für eine Arbeit ist. Frauen nehmen die Aluschale, kratzen sie aus, spülen sie noch unter dem Wasserhahn ab und stellen sie dann in die Spülmaschine. Wenn die Schälchen sauber sind, kommen sie ordentlich in den Schrank und werden beim nächsten Mal, wenn z. B. Brötchen aufgebacken werden sollen, wieder aus dem Schrank geholt und als Unterlage benutzt.

Dass es Backpapier gibt, das wesentlich platzsparender und vor allem auch sauberer ist, ist einer Frau völlig egal. Selbst wenn das Aluminium von der Schale langsam abgeht, weil sie schon 6000-mal benutzt wurde, wird nicht zum Backpapier gegriffen. Das Argument der Frau: »… *es ist ja billiger* und umweltfreundlicher.*«

* Erklärung zu diesem Subtext am Ende des Kapitels.

Gut, dass wir Männer nach ein paar Jahren an einer Metallvergiftung sterben, weil wir im Laufe der Zeit ca. drei bis sechs Aluschalen mitgegessen haben, ist egal, Hauptsache, die Umwelt ist in Ordnung.

Ich möchte nicht meckern, doch irgendwann ist es eben genug. Es sind ja nicht nur zwei bis drei Aluschälchen und vier Joghurtbecher, wir haben sieben Trillionen Joghurtbecher im Schrank stehen, teilweise von Firmen, die es gar nicht mehr gibt. Und wenn ich dann meiner Freundin in der Küche gegenüberstehe, mit meinem Finger auf den Schrank voller Becher zeigend, und frage: *»Hör mal, warum schmeißt du die denn nicht weg?«* ...

... ohhhhhhhhhhhhhhhh, bloß nicht solche Fragen stellen! Lieber eine Katze totfahren.

Gerne stehen Frauen dann einfach in der Küche, leicht mit den Händen fuchtelnd, und sagen nichts. Sie atmen nur etwas lauter. Das Einzige, was zu hören ist, sind Atemgeräusche, vermischt mit einem undeutlichen Akzent einer mal wieder neu erfundenen Geheimsprache. Das machen sie dann so ca. zwei bis drei Minuten lang, in der Hoffnung, wir Männer vergessen die Frage, warum sie die Joghurtbecher nicht einfach wegschmeißt.

Sobald die Frau aber merkt, dass der Mann noch immer fragend in der Küche steht und auf eine Antwort wartet, wird sie leicht hektisch und fuchtelt immer stärker mit den Armen (man kann es auch mit Lautwerden vergleichen, nur ohne Ton). Kurz darauf ertönt ein tatsächlich etwas lauter werdendes Geräusch, leicht zu verwechseln mit schweren Asthmabeschwerden. Sie steht in der Küche und sagt als Antwort einzig und alleine das Wort:

»FÜHNÜHNÜHNÜHNÜHHHNÜÜÜÜ!«

Ja, liebe Leser und Leserinnen, Sie lesen richtig. Das ist die Antwort auf die Frage, warum sie die Joghurtbecher nicht wegschmeißt.

Dies ist keine erfundene Geschichte, es ist wirklich passiert und war der Auslöser dafür, dass ich dieses Buch geschrieben habe. Ich musste es schreiben, ich hatte keine andere Wahl. Dass ich meine Freundin nicht verstehe, war mir schon immer klar, doch dieses Wort hab ich noch nie gehört.

? Man sagt immer, wir Männer würden nicht zuhören, doch was nützt das Zuhören, wenn wir nicht /erstehen, was die Frauen uns Männern sagen?

Es ist ja nicht nur, dass Frauen leise sprechen, nein, sie sprechen auch mit Gegenständen.

Man sieht immer häufiger, wie ein Pärchen irgendwo sitzt und sie mit einem Gegenstand 'edet und nicht mit ihm. Gerne wird auch einfach in eine andere Richtung gesprochen.

ch bin neulich mit dem Flugzeug von Berlin nach München geflogen, und neben mir saß ein älteres Pärchen. Er as Zeitung, sie guckte aus dem Fenster, und man hörte /on ihr nur ein leichtes Gemurmel. Dass sie mit ihm gesprochen hat, davon gehe ich jetzt mal aus, da saß sonst kein anderer.

Der Knaller war, dass sie am Fenster saß und er am Gang, der mittlere Platz war frei. Bis hierhin alles noch ganz normal. Gut, dass es im Flugzeug nicht gerade eise ist, liegt meistens an den Triebwerken. Wenn es leise st, stimmt was nicht, und die Motoren sind ausgefallen. Wenn so etwas passiert, ist es auch nicht wichtig, was die Frau zum Mann gesagt hat, zumindest muss er es sich nicht mehr lange merken.

Egal, zurück zur Geschichte. Die Frau saß am Fenster und versuchte augenscheinlich, dem Mann etwas mitzuteilen Nicht nur, dass ein Sitz zwischen dem Mann und der Frau frei war und es sich hierbei um eine Luftbarriere handelte sie sprach auch nicht in seine Richtung, sondern voll in das Fenster. Was jetzt noch erschwerend dazukam: Sie hatte das komplette Fenster mit ihrem Kopf verdeckt.

? So, jetzt stellt sich bei mir die Frage, was das soll Selbst wenn der Mann sie verstanden hätte, sie ihm beispielsweise gesagt hätte: *»Oh, Schatz, schau mal der Eiffelturm!«* – und er ignoriert hätte, dass auf der Strecke zwischen Berlin und München kein Eiffelturm zu sehen ist, wenn also all die Zeichen für den Mann gut gestanden hätten: Was erwartet da die Frau? Er hätte eh nichts sehen können, denn sie verdeckte das 10 x 10 cm große Fenste mit ihrem 20 x 20 cm großen Kopf.

Das Geile war, der Mann hat goldrichtig reagiert. Er sagte nur kurz und knapp, ohne von der Zeitung wegzusehen *»Ohh, schön, Schatz.«*

Das nenne ich Souveränität. Scheißegal, was sie sagt, einfach nur bestätigen. Sicherlich ist das nicht die feine englische Art, doch wer will schon immer Engländer sein.

4. Frauen heben alles auf

Liebe Männer, ich weiß, dass es manchmal sehr hart ist und dass wir Männer auch dazu neigen, unüberlegt Fragen zu stellen, weil wir einfach eine Antwort haben wollen. Bitte nicht vergessen, dass Frauen nicht in der Lage sind, eine einfache, vor allem kurze Antwort auf die von uns Männern gestellten Fragen zu geben. Zumindest wollen sie es nicht. Frauen vermuten hinter eder Frage einen für sie gefährlichen Hintergedanken. Also als Tipp: Nicht nachfragen, warum etwas so ist, wie es st. Auch wenn es schmerzhaft ist, liebe Männer, ich mach es genauso. Einfach hinnehmen!!!

Vokabeln

Fünn!	Weiß die Antwort noch nicht!
Fünna!	Ich überlege noch!
Führhnn!	Gleich hab ich es!
Fünnhh!	Nur noch einen Moment!
Führhnnüühh!	Du stellst vielleicht Fragen!
Führhnührhnau!	Es ist doch eigentlich egal, warum ich die Joghurtbecher nicht wegschmeiße!
Führhnührhneu!	Ich bin dir keine Rechenschaft schuldig!
Fötfötförött!	Mir fällt langsam keine Ausrede mehr ein!

Führnührnührnüh-nühhhnüüüü!	Ich warte, bis die Joghurtbecher kaputt sind, und dann geh ich in den Keller und hol die Tupperware hoch!
Joghurtbecher	Tupperware für Arme
Kräuter	*diverses Kleinzeug, das man einfriert und nie wieder braucht*
Puffschüssel	*runde Plastikschüssel*
Pengschüssel	*runde Plastikschüssel mit Deckel*
Eidgenossen	*wieder Plastikzeug*
Du hast halt keine Ahnung!	Lass mich doch in Ruhe!

Redewendungen

»Ist ja billiger!«

Liebe Männer, mit diesem Satz drückt die Frau keineswegs Verständnis für die finanzielle Situation des Mannes aus. Sie will mit diesem Satz auch nicht erreichen, dass wir Männer Geld einsparen. Bei diesem Satz bzw. bei dieser Redewendung handelt es sich um einen »Füllsatz«.

Ein »Füllsatz« ist ein Satz, der dazu dient, den Partner zu verunsichern und ihm das Gefühl zu geben, man sitze mit ihm gemeinsam in einem Boot.

Geheimsprache der Frauen

5.

Viele Männer beschweren sich, dass sie ihre Frauen nicht verstehen. Andersrum geht es den Frauen genauso. Nur stellt sich natürlich die Frage: »… *ähhh, wat, wie, warum?*«

Viele Wissenschaftler haben versucht, dem Rätsel auf die Spur zu kommen, leider vergeblich. Es gab sehr viele Spekulationen und Theorien, doch nur drei kommen in die nähere Auswahl:

1. Es liegt daran, dass Frauen beim Sprechen eine andere Frequenz benutzen als Männer.
2. Es handelt sich nicht um Frauen, sondern um Außerirdische, die versuchen, das Geschlecht Mann völlig zu verarschen.

Und die dritte Theorie kommt von mir:

3. Frauen wollen gar nicht, dass wir Männer sie verstehen. Sie benutzen einfach eine Geheimsprache. Denn Frauen untereinander verstehen sich, und das macht mir Angst.

Wie schon im vorherigen Kapitel erwähnt, sprechen Frauen gerne mit Gegenständen. Meine Freundin spricht ganz oft mit dem Kühlschrank. Sie kommt nach Hause, stürmt in die Küche, stellt ihre Handtasche ab, reißt den Kühlschrank auf und fängt an zu quatschen. Der Knaller ist nur: Was sie sagt, ist eigentlich eine Information für mich.

5. Geheimsprache der Frauen

Zwei Wochen später kommt meine Freundin dann und sagt ganz vorwurfsvoll: »... *wir sind heut Abend mit dem Klaus verabredet, hab ich dir aber gesagt!*« In den Augen meiner Freundin mag das ja stimmen, doch sie hat es nicht mir gesagt, sondern dem Kühlschrank.

Ich wusste von nichts, gut, aber der Käse, der wusste Bescheid. Das nächste Mal, wenn ich etwas wissen will, frag ich einfach die Salami, die kann mir dann bestimmt weiterhelfen.

Wie schon gesagt, Frauen untereinander verstehen sich, und das ist sehr merkwürdig. Es ist so eine Art Geheimsprache der Frauen. Dass es sich um eine Geheimsprache handelt, merkt man spätestens, wenn Frauen telefonieren

Liebe Männer, achtet mal darauf, was eure Frauen so am Telefon sagen.

Ich seh das immer nur, wenn meine Freundin mit ihrer besten Freundin telefoniert. Da sagt meine Freundin am Telefon immer nur: »... *ähh ähh ja ja jaaaa ähhh ja ähh ja ja jaaa ja ja jaaaaaa ähhhhh äh jaaaaa ...*«

Mehr wird da nicht gesprochen. Gut, sagen jetzt viele Leserinnen, wer weiß, was die Freundin am anderen Ende der Leitung gesagt hat? Manchmal muss man ja auch einfach nur antworten oder bestätigen am Telefon.

Natürlich. Ich wäre aber nicht der Mario, wenn ich das nicht recherchiert hätte. Ich habe einfach meinen besten Freund angerufen und gefragt, was denn seine Freundin am Telefon sagt, wenn sie mit meiner Freundin telefoniert. Da sagte er mir: *»Sie sagt bloß: ›... ähh ähh ja ja jaaaa ähhh ja ähh ja ja jaaa ja ja jaaaaaa ähhhhh äh jaaaaa ...‹«*

5. Geheimsprache der Frauen

Das ist ein Morsealphabet! Zweimal kurz, dreimal lang, einmal kurz ...

Wir Männer sitzen völlig sprachlos neben den Frauen, wenn sie telefonieren, und verstehen nichts, während die Frauen in unserem Beisein voll über uns herziehen.

Das machen die Frauen absichtlich. Wie gesagt, Frauen wollen nicht, dass wir sie verstehen, sonst könnten sie bald nicht mehr über uns meckern. Es kann natürlich auch sein, dass Frauen sich mit der Geheimsprache gewisse Hintertürchen offen halten wollen. Wenn sie irgendwann merken, dass sie vergessen haben, uns etwas zu sagen, können sie immer sagen: *»Du hast mir mal wieder nicht zugehört!«*

Schön ist auch der Ausdruck *»mal wieder«*,genauso schön wie die Wörter *»immer«*, *»jedes Mal«* und *»nie«*! Zu diesen Wörtern gibt es in diesem Buch ein eigenes Kapitel: »6. Vorwurfssätze einer Frau«.

Frauen sprechen auch ganz oft nur halbe Sätze, um uns Männer zu irritieren und aus der Fassung zu bringen. Teilweise auch einfach nur Wortfetzen. Man hat dann den Eindruck, das sind übrig gebliebene Wörter vom Vortag. Die Frau hat gestern mit ihrer Freundin ein Gespräch gehabt, und das Wort »*Grün*« ist übrig geblieben. Dann kann es durchaus sein, dass sie plötzlich ins Zimmer gestürmt kommt und einfach nur das Wort »*Grün*« sagt. Der Hammer ist aber, dass Frauen von uns Männern verlangen, dass wir sie trotzdem verstehen.

Eine weitere Theorie, warum Frauen so gerne nur halbe Sätze sprechen, ist, dass sie am Lückentext so viel Spaß haben. Frauen waren schon in der Schulzeit absolute Freunde des Lückentextes. Das liegt daran, dass sie einen Lückentext auch ohne ausgefüllte Lücken einwandfrei lesen können. Frauen haben die Begabung, in drei Wörtern eine ganze Geschichte zu sehen. Man merkt das auch ganz oft, wenn die Frau den Mann fragt, warum er denn so spät nach Hause kommt, und der Mann antwortet, dass er mit Freunden noch etwas trinken war. Für den Mann heißt das einfach nur: »*Ich war noch etwas trinken.*«

Für die Frau bedeutet das aber: »*Ach so, dir gefällt es zu Hause nicht mehr. Seh ich so schlecht aus, dass du mich schönsaufen musst? Da sind dir deine Freunde wohl lieber als ich!*« Und und und ...

Frauen haben eine Fantasie, die ist hervorragend. Sie brauchen nur drei Wörter, und wenn es die falschen sind, ist es mit der Harmonie vorbei. Der Grund, warum Frauen auch nur halbe Sätze sprechen: Sie erwarten von uns, dass wir den Lückentext im Kopf vervollständigen.

Liebe Frauen, wir Männer können das nicht, wir können grillen wie die Weltmeister, aber wir können – und vor allem: wollen – keine Lückentexte füllen.

Manchmal kommt es vor, dass meine Freundin in mein Büro stürmt, total vergessen hat, dass ich ein Mann bin, und zu mir völlig hektisch und leicht genervt einzig und alleine den Halbsatz sagt: »... *geht in Ordnung!*« Dann verlässt sie schlagartig mein Büro.

Ich sitze an meinem Schreibtisch, brutalst aus meiner Arbeit gerissen, leicht orientierungslos und rufe ihr nach:

»Ehhhh, komm mal zurück, was geht in Ordnung???«

Dann kommt sie zurück und ergänzt den Satz: »... *mit dem Termin!*«

Das war es auch schon wieder, mehr Informationen kommen nicht. Zack, da rennt sie schon wieder aus dem Zimmer. Ich sitze noch immer da, total unwissend, ahnungslos, was sie denn jetzt für einen Termin meint. Ich schreie ihr erneut nach:

»Ehhhh, was denn für ein Termin, was geht denn da in Ordnung, sprich doch mal einen ganzen Satz mit mir. Subjekt, Prädikat, Objekt. Du bekommst auch Buntstifte, dann kannst du die Wörter farbig unterstreichen!«

Plötzlich ist sie total genervt, rennt zum Kühlschrank, reißt die Tür auf und redet mit der Wurst.

Und da kommt es mir dann wieder: Seit Frauen mit Kühlschränken reden, gibt es Wurst mit Gesicht.

6. Vorwurfssätze einer Frau

Liebe Frauen, ich möchte natürlich nicht, dass ihr den Eindruck von mir bekommt, ich sei ein Frauenhasser. Ganz im Gegenteil, ich liebe Frauen und versuche nur, viele Beziehungen in diesem und anderen Ländern zu retten. Dieses Kapitel lest ihr Frauen aber bestimmt sehr ungern, denn ich hab euch voll erwischt. Wenn ihr aber ehrlich seid, werdet ihr sehen, dass das, was da geschrieben steht, den Tatsachen entspricht.

Frauen neigen dazu, alles und jede Situation zu übertreiben. Einfache Wörter, die eine momentane Situation beschreiben, gibt es bei Frauen nicht.

Im Wortschatz der Frauen restlos gelöscht – und das ist genetisch:
manchmal; ab und zu; gelegentlich; Danke.; Schön, dass du ... gemacht hast.; Mein Fehler.; Tut mir Leid.; Ich hab dir diesmal nicht zugehört.; Hab ich vergessen, dir zu sagen ...; Da kannst du nichts für.; Ich bezahle.

Frauen sagen:
immer; jedes Mal; nie; Na toll.; Alles muss ich machen.; grundsätzlich; Wurde auch mal Zeit.; Du musst mir auch mal zuhören.; Ist dir sowieso egal.; Typisch Mann.; Du denkst immer nur an das Eine.

6. Vorwurfssätze einer Frau

Frauen sprechen auch immer um 16 Ecken. Sie sagen nie wirklich gerade heraus, was sie denken. Auch Sarkasmus wird in den weiblichen Gefilden sehr groß geschrieben. Wenn Männer etwas wollen, dann sagen sie es einfach.

Ein Mann sagt:	*»Geh mal in den Keller und hol Bier.«*
Er meint:	Sie soll in den Keller gehen und Bier holen.

Bei Frauen sieht das alles ein bisschen anders aus.

Eine Frau sagt:	*»Hier müsste auch mal wieder gestrichen werden.«*
Sie meint:	*»So, mein Freund, nun sieh mal zu, wie du langsam, aber sicher die Bude gestrichen bekommst, und zwar alleine. Ich steh bloß daneben und bemängele deine Arbeit.«*

Bei diesem Satz sieht man sehr gut, wie die Frau im **gesprochenen Satz** den Eindruck vermitteln will, dass von **»gemeinsamem Streichen«** die Rede ist.
Doch im **gedachten Satz** und somit auch wirklich gemeinten Satz ist die Rede von **»alleine streichen«**.

Schön sind auch die Vorwurfsätze von Frauen, wenn es um die Freizeitgestaltung geht. Da ist der Mann viel direkter: Auf Platz 1 der Freizeitgestaltung des Mannes ist und bleibt natürlich fernsehen. Wenn also ein Mann die Freizeit mit seiner Partnerin teilen möchte, sagt er es einfach.

Ein Mann sagt: *»Schatz, wat iss … Film gucken?«*

Er meint: Er möchte mit seiner von ihm geliebten und treu geschätzten Partnerin einen Film schauen.

Interessant wird es wieder bei der Aussage einer Frau, wenn sie die Freizeit mit ihrem von ihr geduldeten und permanent von ihr gemaßregelten Partner verbringen möchte.

Sie sagt nicht einfach, was sie will, sie muss irgendwelche Vergleiche mit dem Freundeskreis des Mannes anstellen. Auch da benutzt sie Vorwurfssätze, gemischt mit einem Hauch Subtext.

Eine Frau sagt: *»Super, dass du die ganzen schönen Dinge immer nur mit deinen Freunden machst. Mit mir machst du das nie.«*

Bitte achten sie auf die Endgültigkeit in diesem Satz, festzustellen an den Wörten *»ganzen«*, *»immer«*, *»nur«*, *»nie«*.

Die Bedeutung des Satzes ist eine ganz andere. Wir sollen zwar glauben, dass die Frauen auch so schöne Dinge mit uns Männern unternehmen wollen, die uns Spaß machen. Fakt ist aber der Hintergedanke, den die weibliche Bevölkerung bei diesem Satz hegt.

Die Frau meint: *»Na toll, jetzt sind wir endlich ein Paar, und was ist, du machst doch, was du willst, obwohl ich mir fest vorgenommen habe, dich komplett umzukrempeln. Ich will Spaß haben, und du sollst dich gefälligst langweilen, das ist der Deal.«*

Das ist auch noch so ein Ding der Frau. Das Umkrempeln. Frauen suchen sich zu 90% irgendwelche Pflegefälle von Männern als Partner aus. Auch da gibt es eine Rangliste:

1. Der verheiratete Mann, der schon seit zwei Jahren hoch und heilig verspricht, sich von seiner Frau scheiden zu lassen.
2. Den Mann ab 30, der noch immer bei seiner Mutter wohnt und jetzt mit der augenscheinlichen Liebe seines Lebens zusammenziehen will.
3. Der Mann, der nur drei Hobbys hat: Fußball, Fernsehen und F… (Sex).

Frauen haben es sich zur Lebensaufgabe gemacht, die Männer zu ändern. Liebe Frauen, das funktioniert nicht! Das haben unsere Mütter schon versucht, und sie haben es auch nicht geschafft. Warum solltet ihr das schaffen, zumal Männer genetisch gar nicht in der Lage sind, sich zu ändern. Männer sind absolut primitiv, aber auch, wie schon gesagt, sehr glücklich.

Die Frauen bestätigen ja auch täglich, dass wir Männer uns nicht ändern können, und zwar in Form eines weiteren Vorwurfssatzes, des allzeit beliebten Haushaltsarbeiten-Vorwurfssatzes.

Frauen behaupten immer, wir Männer würden zu Hause nichts im Haushalt tun. Am liebsten erwähnen die Frauen das aber, wenn Besuch da ist, sonst bekommt ja niemand anders mit, wie schlecht es ihnen in der Beziehung geht.

Meine Freundin trägt dann plötzlich einen vollen Wasserkasten von der Küche quer durch die Wohnung am Besuch vorbei auf den Balkon und trägt ihn dann aber wieder zurück. Wenn ich dann, auf dem Sofa sitzend, frage, ob ich ihr helfen soll …

... kommt der König der Vorwurfssätze:
»Nein, nein, lass mal ... du hilfst mir ja* sonst *auch nicht!«

Jetzt ist es schön zu beobachten, wie unterschiedlich männliche und weibliche Besucher im Vergleich reagieren.

Der weibliche Besuch schüttelt sofort mit dem Kopf und suggeriert mir das Gefühl, was ich denn für ein Arschloch bin, weil ich meine Freundin erst gefragt habe und nicht sofort aufgesprungen bin, um ihr den Wasserkasten abzunehmen. Unterstrichen wird die Schüttelgeste von einem leichten Zungenschnalzen, womit der weibliche Besuch mir zu verstehen gibt, wie armselig ich doch bin.

Was passiert? Der weibliche Besuch steht vom Sofa auf, rennt, noch immer kopfschüttelnd, zu meiner Freundin und hilft ihr beim Tragen des Wasserkastens.

Dass es überhaupt keinen Sinn hatte, den Wasserkasten von der Küche auf den Balkon zu tragen, um ihn dann wieder zurückzutragen, spielt absolut keine Rolle bei den mittlerweile verbündeten Frauen. Denn: Es geht ums Prinzip!!!

Was passiert jetzt aber beim männlichem Besuch? Auf seinem bisher eher regungslosen Gesicht zeigt sich eine Mischung aus Sonnenschein und Glücksgefühl. Seine Augen fangen an zu leuchten wie die Abendsterne einer winterlich klaren Nacht. Leichtes Prickeln, untersetzt mit Stichen wie von tausend kleinen Stricknadeln, durchzuckt den Körper. Die Nackenhaare stellen sich auf wie frisch gestärktes

Getreide im Sommerwind. Das Gefühl des Sieges macht sich langsam in seinem Körper breit. Jede einzelne Muskelfaser macht sich bereit für den Triumph des Tages. Die Stimmbänder werden mit bestem und sauerstoffreichstem Blut versorgt, damit er endlich das sagen kann, was er schon immer sagen wollte: *»Jaaaaaaaaaaa, was für ein geiler Typ!«*

Vokabeln

Hab ich dir gesagt!	Frag ruhig den Käse, der ist Zeuge!
Du musst mir auch mal zuhören!	*Das Wort* »mal« *ist gegen* »immer« *oder* »ständig« *auszutauschen.* Ich rede, du sagst nichts!
Nie hörst du mir zu!	Ich weiß nicht mehr genau, was ich zu dir gesagt habe, behaupte einfach, dass das, was ich jetzt sage, das ist, was ich gesagt haben müsste!
Ähh …	Ich weiß, was du meinst.
Ja, ja, jaaaa …	Er sitzt neben mir, daher kann ich nicht so reden, wie ich will …
Ähhh, ja, ähh …	Du hast soooo Recht …
Ja, ja, jaaaaaa, ähhhhh …	Typisch Mann!
Äh, jaaaaa …	Der geht mir voll auf die Nerven!
… mal wieder …	*Bezogen auf Renovierungsarbeiten, bedeutet die Wortkombination:* »Mach es sofort, und zwar alleine.«
… immer …	*Ein Wort, das Frauen täglich bei diversen Vorhaltungen benutzen. In diesem Zusammenhang bedeutet das Wort:* »Du bist einfach schuld.«
… jedes Mal …	Mann, bist du blöd!
… nie …	*übertriebene Zeitangabe*
Na toll!	Du bist nicht nur blöd, sondern saublöd!

6. Vorwurfssätze einer Frau

Alles muss ich machen!	Wird höchste Zeit, dass du auch mal etwas machst!
… grundsätzlich …	… ab und zu …
Wurde auch mal Zeit!	Warum jetzt erst?
Ist dir sowieso egal!	Los, sag mir das Gegenteil, ich will es hören!
Typisch Mann!	Bla, bla, bla!
Du denkst immer nur an das eine!	Heute Abend lass ich dich nicht ran!
Geht in Ordnung!	Ich hab vergessen, dich zu informieren!
… mit dem Termin …	Sag nichts, komm einfach mit!
… ein bisschen helfen …?	Mach du die Arbeit!
Es geht um das Prinzip!	Ist mir scheißegal, ob du Recht hast!

Definition für den Vorwurfssatz

Vorwurfssatz

Hierbei handelt es sich um den Ausdruck von Unzufriedenheit einer Frau. Sicherlich denken jetzt sehr viele Männer, dass Frauen grundsätzlich unzufrieden sind. Der Vorwurfssatz wird – in den verschiedenen Bundesländern unterschiedlich – relativ häufig benutzt (s. Tabelle).

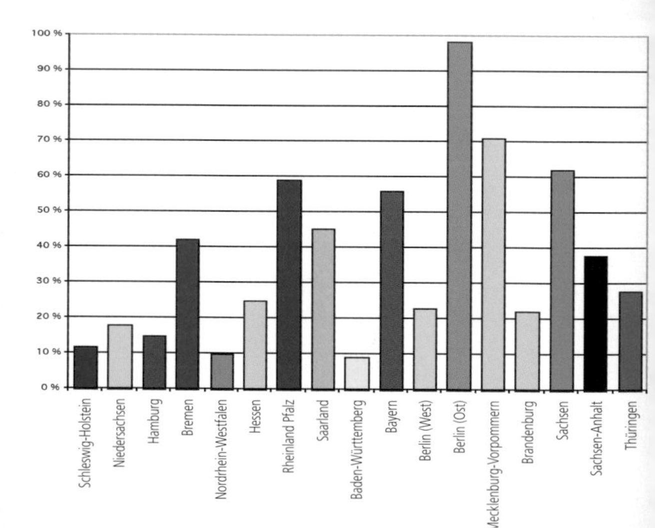

Subtexte einer Frau

7.

Dem einen oder anderem wird es schon aufgefallen sein. Immer häufiger kam in den vorherigen Kapiteln das Wort »Subtext« vor.

Subtext = Ich sag das eine, meine aber etwas anderes.

Um Ihnen einen besseren Einblick zu verschaffen, wie das aussieht, habe ich hier eine paar Sätze basierend auf der Subtexttechnik aufgeschrieben.*

* Bitte denken Sie daran, dass es sich hierbei nur um einen Bruchteil von subtexttechnischen Sätzen handelt. Seit 1984 werden rund um die Uhr alle Subtextsätze gezählt, doch bis heute haben wir noch keine genaue Zahl, wir zählen noch.

Sie sagt: *»Müssen die Bartstoppel im Waschbecken liegen bleiben?«*
Sie meint: *»Ich hab so langsam die Schnauze voll von deiner Sauerei.«*

Sie sagt: *»Du bist ein wirklich gutmütiger Mann.«*
Sie meint: *»Du schnarchst wie die Sau.«*

Sie sagt: *»Deine Trainingshose ist sicher bequem.«*
Sie meint: *»Zieh dir doch mal was an, was sexy ist.«*

Sie sagt: *»Ich bin müde.«*
Sie meint: *»Ich hab keinen Bock auf Sex.«*

7. Subtexte einer Frau

ie sagt: *»Ich hab Kopfschmerzen.«*
ie meint: *»Ich hab zwar Lust auf Sex, aber nicht mit dir.«*

ie sagt: *»Ich treffe mich noch mit einer Kollegin.«*
ie meint: *»Heute zieh ich um die Häuser.«*

ie sagt: *»Wird aber spät.«*
ie meint: *»Wenn ich einen Mann aufgerissen habe, geh ich mit dem fremd.«*

ie sagt: *»Ich gehe heute zu einer Tupperparty.«*
ie meint: *»Ich treffe mich mit einem anderen Mann und zeig ihm meine ›Dose‹.«*

ie sagt: *»Du erinnerst mich total an meinen Vater.«*
ie meint: *»Du bist ganz schön fett geworden.«*

ie sagt: *»Du erinnerst mich immer mehr an meinen Vater.«*
ie meint: *»Schön, dass du jetzt auch noch säufst.«*

ie sagt: *»Schatz, ich liebe dich.«*
ie meint: *»Wo ist deine Kreditkarte?«*

ie sagt: *»Du könntest mir auch mal wieder den Rücken kraulen.«*
ie meint: *»Sex mit Vorspiel ist auch ganz schön.«*

Sie sagt: *»Komm, wir spielen ›Mensch ärgere Dic nicht‹.«*

Sie meint: *»Heute gibt es keinen Sex, ich hab mein Tage.«*

Sie sagt: *»Hast du mich überhaupt noch lieb?«*

Sie meint: *»Jeder Pfarrer hat mehr Sex als wir.«*

Sie sagt: *»Dein Penis könnte etwas länger sein.«*

Sie meint: *»Es wäre schön, wenn du dich beim Pinkel hinsetzen würdest.«*

Sie sagt: *»Lass uns doch endlich heiraten.«*

Sie meint: *»Meine Kohle ist alle, ich brauche deine.«*

Sie sagt: *»Meine Mutter kommt am Wochenende z Besuch.«*

Sie meint: *»Ich brauche mehr Zeit für mich.«*

Sie sagt: *»Meine Mutter bleibt für eine Woche.«*

Sie meint: *»Ich will die Scheidung, such dir 'ne neu Wohnung.«*

So, das war eine Auswahl der meistgesagten Sätze eine Frau. Sie haben ganz andere Bedeutungen, als wir Männe denken. Wie gesagt: Es gibt Trillionen anderer Sätze – abe die kommen ins nächste Buch.

Frauen und kalte Füße

8.

Ich hab es ja vorhin schon erwähnt: Ich glaube manchma
Frauen wollen uns Männer fertig machen, und ich hab
das Gefühl, dass es ihnen so langsam auch gelingt. Fraue
sind hochintelligente Wesen, sie wissen genau, was si
machen. Nicht nur mit den Subtextsätzen, sondern auc
mit ihrem Körper. Heißt ja nicht umsonst, dass der Körpe
die Waffe der Frau ist. Ich würde sogar noch weiter gehe
Ich glaube, dass Frauen eigentlich Aliens sind, Außerirdi
sche, die versuchen, die Weltherrschaft an sich zu reiße
Frauen können keine normalen Lebewesen sein, das zeig
schon ihre körperliche Verfassung. Ganz besonders sieh
man es im Sommer.

Es gibt ja teilweise richtig heiße Sommertage mit eine
Temperatur von bis zu 90° C im Schatten. Es ist so heiß
dass wir Männer nackt durch die Straßen von Berlin
Hamburg und München laufen (o.k., in München is
es nichts Ungewöhnliches). Klimaanlagen brechen zusam
men, Aquarien fangen an zu kochen, Wälder brennen un
Eisberge schmelzen – doch Frauen haben kalte Füße!

Wo haben Frauen die kalten Füße her? Das ma
chen sie absichtlich, sie wollen uns Männer dami
schwächen.

Der Knaller sind aber nicht nur die kalten Füße
nein, die Frauen sind auch noch ein orthopädi

sches Wunder. Sie können ihre Füße nicht nur nach vorne strecken, wie wir Männer das können, sie können ihre Füße auch noch um 90° abknicken, damit sie uns Männern ihre Füße im Bett besser zwischen die Oberschenkel schieben können. Sie schlummern in aller Seelenruhe, und wir Männer können nicht pennen, wir holen uns den Tod. Wenn wir morgens aufwachen, nachdem sie die ganze Nacht ihre Eisfüße bei uns zwischen den Oberschenkeln geparkt haben, haben wir zu 89 % eine Blasenentzündung. Frauen machen das, wie gesagt, absichtlich. Während wir auf der Arbeit sind, sitzen sie schon zu Hause auf einem Hocker, schnappen sich zwei Beutel voll Eis und legen sie sich die ganze Zeit auf die Füße.

Der Oberhammer ist aber der Morgen danach, wenn wir mit Blasenentzündung aufwachen und auf dem Klo sitzen, das Gesicht schmerzverzerrt, und sie ganz scheinheilig ins Bad kommen und fragen: *»Und … alles in Ordnung?«*

Was sollen wir da denn sagen? Wir Männer dürfen ja keine Schwächen zeigen. Frauen erwarten von uns immer, dass wir hart und unverletzbar sind, doch, liebe Frauen, wir Männer haben auch Gefühle. Nur weil wir bei Bambi nicht heulen, wenn die Mama erschossen wird, heißt das nicht, dass wir keine Gefühle haben. Wir Männer sind einfach Realisten. Wir nehmen den Film, spulen ihn zurück, und zack, siehe da, die Mama lebt wieder.

Vokabeln

Ich hab so kalte Füße.	Mach deine Beine auseinander, damit ich mit meinen Füßen dazwischenkomme!
Mir ist kalt.	Komm her und wärme mich!
Mir ist sooo kalt.	Nur wärmen und nicht f…!
Du bist so schön warm.	Wenn du wüsstest, wie lange meine Füße heute unter den Eisbeuteln lagen.
Das tut mir Leid.	Mir ist das doch egal.
Hast du gut geschlafen?	Meine Füße können ganz schön lange kalt sein.
Du bist unsensibel.	Na und? Ich heule halt bei einem Zeichentrickfilm.
Du bist so gefühlskalt.	Heul doch auch mal!
Bambi hat keine Mutter mehr.	Nun heul endlich auch!

9. Sex

Das Kapitel »Sex« ist bei Frauen ein ganz empfindliches Thema. Während wir Männer Sex teilweise als Freizeitbeschäftigung sehen, ist er bei Frauen eine Welt voller Geheimnisse.

Was sich bei einer Frau genau gefühlstechnisch abspielt, kann ich leider nicht sagen, weil ich auch nur ein Mann bin.

Ich möchte mich auch nicht zu weit aus dem Fenster lehnen, doch ich glaube, es ist nicht zu viel gesagt, wenn ich behaupte, dass wir Männer dem eigentlichen Akt nicht so viel Aufmerksamkeit schenken, wie es eine Frau tun würde.

Liebe Frauen, bevor Sie dieses Kapitel lesen, müssen Sie mir versprechen, nicht ganz so hart mit mir ins Gericht zu gehen. Es handelt sich im Folgenden um Erfahrungswerte und nicht um Lebenseinstellungen. Bitte versuchen Sie auch nicht herauszufinden, wo ich wohne, um mir das Buch um die Ohren zu knallen, da ich von der Regierung in ein anderes Land gebracht wurde und eine neue Identität bekommen habe. Nicht vergessen, alles nur Spaß.

Vorab muss ich aber noch sagen, dass sich meine Theorien einzig und alleine auf nur 97% aller Männer beziehen. Es gibt eine kleine, geringe Anzahl von Männern, die das

'hema »Sex« anders behandeln. Wo diese Männer wohn-
ıaft sind und warum sie so leben, kann ich nicht sagen. Es
jab im Jahre 1982 einen Mann, der sich diesbezüglich ge-
ɔutet hat, doch der ist aufgrund eines Zeugenschutzpro-
jramms nicht wieder zu finden.

Männer haben, was Sex angeht, eine andere Prioritätenlis-
e als Frauen. Sex kommt bei Männern direkt hinter Essen
ınd Schlafen. Wenn es immer nur nach den Männern
jehen würde, wäre der beste Zeitpunkt für den Sex auch
jenau zwischen Essen und Schlafen. Da er aber nicht
mmer dann stattfindet, ist deutlich zu erkennen, dass die
Spezies Mann eine gewisse Portion Toleranz an den Tag
egt.

Frauen beschweren sich sehr oft, dass wir Männer nur an das eine denken. Warum auch nicht, es macht uns Männern am meisten Spaß.

Nun könnte man denken, dass der Mensch die meiste Zeit
ın das denkt, was ihm auch am meisten Spaß macht. Im
Grunde ist das richtig. Nehmen wir mal die Frau.

Frauen sprechen permanent vom Einkaufen. Schlussfolge-
ung ist, dass Frauen den gleichen Spaß beim Einkaufen
empfinden wie wir Männer beim Sex. Bis hierhin läuft alles

super und vor allem parallel. Doch jetzt kommt der kleine aber für die Frau entscheidende Unterschied.

Frauen verbringen <u>so viel Zeit wie möglich</u> mit dem für sie schönsten Teil ihres Lebens, während wir Männer nur <u>so viel Zeit wie nötig</u> mit dem Sex verbringen.

Sie haben es bestimmt schon gemerkt: Hier ist der erste Reibungspunkt. Frauen erwarten von uns die gleiche Begeisterung und vor allem die gleiche Ausdauer was den Sex betrifft, wie sie Frauen dem Einkaufen ent gegenbringen.

Der zweite Reibungspunkt ist das Vorspiel Machen wir uns mal nichts vor: Bei so gut wie allen Männern ist das Wort »Vorspiel« aus dem Gedächt nis gelöscht. Ausgenommen sind natürlich die Männer, die eine frische Beziehung führen und noch nicht länger als zwölf Monate mit derselben Frau zusammen sind. Diese Männer leben in einem Ausnahmezustand. Am Anfang einer Beziehung macht man doch alles für die Frau. Dieses Verhalten ist genetisch bedingt. Es handelt sich hierbei um ein Beziehungssicherungsverhalten. Eine Art Schutzreflex Der Mann lernt eine Frau kennen und wirbt um sie, ähnlich wie in der Natur bei den Rotkehlchen.

Das männliche Rotkehlchen sieht das Weibchen, bekommt Bock auf sie und fängt plötzlich an, sich aufzublasen und wie bekloppt im Kreis zu drehen. Dabei schlägt es immer mit den Flügeln auf und ab.

Versuchen Sie jetzt bitte nicht, sich vorzustellen, wie bescheuert es aussehen müsste, wenn wir Männer das gleiche Verhalten wie das Rotkehlchen an den Tag legen würden. Es käme dann nie zum Geschlechtsakt zwischen Männern und Frauen, da sich die weibliche Bevölkerung jedes Mal totlachen würde, wenn der Mann nackt mit käseweißem Bierbauch und wild flatternden Armen ums Bett rennen würde. Richtig lustig würde es dann, wenn der Mann versuchen würde, sich aufzublasen, wie es die Vogelwelt macht.

Die einzige Parallele zwischen Menschen und Tierwelt ist die Tatsache des Balzverhaltens. Lediglich die Art unterscheidet sich. Während der Vogel sich hektisch im Kreis dreht, liegt der Mann ruhig auf dem Sofa und fragt nach einer Flasche Bier.

Frauen wiederum ähneln da eher der Natur. Die Reaktion des weiblichen Rotkehlchens auf das Balzverhalten ist im ersten Moment absolute Ignoranz. Das Männchen flattert sich einen Wolf, und das Weibchen stellt sich voll auf stur.

Genau wie bei der Spezies Mensch. Der Mann liegt da wie bekloppt auf dem Sofa und ruft schon das achte Mal nach dem Bier, und was ist … nichts passiert.

Weiter geht es mit dem Vogelmännchen. Der rennt noch immer im Kreis, hat sich in der Zwischenzeit schon viermal übergeben, flattert immer stärker mit den Flügeln und fängt jetzt noch zusätzlich an zu piepsen, bis der Arzt kommt.

Was macht das Weibchen? Es schaut mal so langsam zu dem Männchen rüber und tut so, als wenn es jetzt erst mitbekommen hätte, dass da was ist.

Alles gelogen. Das ist die Taktik des weiblichen Geschöpfs. Der Hammer ist aber, dass es funktioniert, da wir Männer unser Gehirn vor Geilheit ausgeschaltet haben. Der viel größere Hammer ist, dass die Frauen das ganz genau wissen.

Kommen wir zurück zu dem auf dem Sofa liegenden Mann. Auch er wird hektischer und lauter. Teilweise rutschen ihm auch Komplimente raus. Sätze wie:

»Schatz, du bist wunderschön.«

Seufz! Jetzt kommen wir in eine Phase der Verzweiflung. Der Mann hat gemerkt, dass er mit seiner Art und Weise nicht weiterkommt. Er muss sich etwas anderes überlegen. Schlagartig werden aufgrund des „Beziehungssicherungsreflexes" Hormone in der Kleinhirnrinde freigegeben.

Der Mann wird plötzlich verständnisvoller und einfühlsamer. Er gibt noch mehr Komplimente von sich. Ein Gemisch aus Fantasie und Existenzangst macht sich breit. Immer mehr untypische Sätze werden gesagt. Sätze wie zum Beispiel ***»Komm doch mal kurz her, ich will dich einfach nur mal in den Arm nehmen«*** – verbunden mit der Geste ausgestreckter Arme.

Das alles geschieht ohne böse Absicht. Wir haben zu diesem Zeitpunkt die Phase der »Unzurechnungsfähigkeit« erreicht. Der Mann möchte jetzt nur noch eins, und das ist mit Sicherheit nicht einkaufen gehen.

Er macht alles, um an sein Ziel zukommen. Er steht sogar vom Sofa auf, um ihr entgegenzukommen. Das deutet die Frau sofort als Niederlage des Mannes, womit sie nicht unbedingt Unrecht hat. Der Mann ist, wie gesagt, in der Phase der Unzurechnungsfähigkeit. Er weiß nicht mehr, was männlich ist und was nicht.

Die Frau erkennt ihre Chance, sie legt sich mit ihm ins Bett, er glaubt, seinem Ziel nahe zu sein. Ein leichtes Kribbeln durchzuckt seinen Körper, die Hormone der Kleinhirnrinde durchfluten den Körper, der Pulsschlag verdoppelt sich, bereit für das Schönste, was es für einen Mann im Leben gibt. Er geht den kompletten Akt in seinem Kopf noch mal durch. Die ganzen vier Minuten, die er für den Sex eingeplant hat, sind ausgefüllt mit schmutzigen Fantasien. Doch plötzlich kommt das »Unwort« für Männer:

»KUSCHELN!«

Ein Schlag wie von 10.000 Volt zerreißt die Gedanken des Mannes. Der ohnehin hohe Pulsschlag erhöht sich erneut um das Vierfache, Angstschweiß bildet sich auf der Stirn, ein leichtes Piepsen im rechten Ohr durchdringt die Konzentration. Der Mann leidet unter extremem Stress.

Das Problem ist nicht das **›Kuscheln‹** selber, sondern die Dauer der körperlichen Nähe. Frauen wollen ja nicht mal eben kurz kuscheln. Frauen wollen vor dem Sex kuscheln, sie wollen während des Sex kuscheln, und Frauen wollen danach auch noch kuscheln.

Das ist und bleibt für uns Männer einfach undenkbar. Männer sind nicht für das Kuscheln gemacht worden.

Männer gehen auf die Jagd, hauen einem Mammut einen Knüppel auf den Schädel, ziehen es in die Höhle und machen Feuer. Das ist so genetisch festgelegt. Auch wenn Frauen denken, sie können alles umdrehen und zurechtbiegen, in diesem Fall handelt es sich auch um einen Schutzreflex, dass Männer nicht zum Kuscheln neigen.

DAS MAMMUTSYNDROM

Stellen wir uns nur einmal vor, dass Männer genauso sensibel und einfühlsam wie Frauen wären. Das alles aber nicht im heutigen Zeitalter, sondern vor tausenden von Jahren, als die Instinkte festgelegt wurden.

Ein Mann sieht eine Mammutherde. Neben der Mammutmama steht ein Mammutvater zusammen mit zwei Mammutkindern. Der Mann schleicht sich langsam an die Herde, um die Situation abzuchecken. Schließlich ist er auf der Jagd und versucht, seine eigene Familie vor dem sicheren Hungertod zu bewahren. Er ist nur noch 3 Meter von der Herde entfernt. Die Keule fest im Griff, spannen sich die Muskeln des Mannes immer stärker an. Sein Gehör ist sensibel wie das eines Pumas. Trotz der Unterlegenheit und der Gefahr, in die er sich für seine Familie begibt, ist er entschlossen zu handeln. Er reißt die Keule in die Höhe und rennt mit Gebrüll auf die Mammutherde zu, um wenigstens eins zu erlegen, doch plötzlich schaut ein Mammut mit seinen großen, braunen Augen zu ihm hin. Der Blick des Mammuts trifft den Blick des Mannes. Ein Knistern liegt in der Luft. Noch immer mit angespannter Muskulatur rennt der Mann aufs Mammut zu. Wie aus dem Nichts verwandelt sich der Gesichtsausdruck des Jägers. Ein Hauch von Liebe macht sich breit. Er schmeißt die Keule weg, fängt an, zu singen und zu tanzen. Er nimmt das Mammut in die Arme. Er knuddelt es und will mit ihm kuscheln. Aus dem Jäger wurde ein Liebesbote.

Das einzig Blöde ist, dass das Mammut von dem Gefühlsausbruch nichts weiß. Das Mammut denkt natürlich auch aufgrund seines Instinktes, dass Männer für die Jagd geboren werden. Es kommt nicht auf die Idee, dass der Mann nur kuscheln will. Während der Mann noch immer am Mammut hängt und es aus Liebe fast erwürgt, kommen die anderen Mammuts und machten ihn platt.

Das Ende vom Lied ist ein toter Krieger und eine hungrige Familie, die in der Höhle wartet und sich wieder darüber aufregt, warum der Mann nicht rechtzeitig zum Essen nach Hause kommt.

Das ist der Grund, warum wir Männer heutzutage nicht kuscheln. Es ist uns einfach zu gefährlich.

Doch Frauen wissen sich zu helfen. Frauen sind ja nicht doof, wie öfter vermutet wird. Frauen sind hochintelligente Wesen. Wenn Frauen sich mal etwas in den Kopf gesetzt haben, dann ziehen die das gnadenlos durch. Zumindest, wenn es sich dabei um das Thema »Mann« handelt.

Frauen setzen zum Erreichen ihrer Ziele auch gerne ganz besondere Waffen ein. Eine davon ist der Körper. Den haben die Frauen schon eingesetzt, um uns ins Bett zu bekommen. Jetzt wollen sie aber noch ein Vorspiel. Nicht einfach nur ex und hopp. Zack, kommt die zweite Waffe. die Babysprache in Verbindung mit einem Dackelblick.

Die Frau liegt im Bett, die Hände über der Bettdecke fest am Körper, sie schaut mit leicht geneigtem Kopf zum Mann rüber, die Mundwinkel zugespitzt, die Augenlider verdecken zur Hälfte die Pupillen. Mit leicht piepsiger Stimme, in der Hoffnung auf Erfolg, sagt sie dann:

»Kraulst du mich ein bisschen, böööööttttte, böööööttttte???«

Das machen Frauen sechs Stunden, da haben die kein Problem mit. Frauen haben eine Ausdauer, die ist bewundernswert. Die liegen so lange mit piepsiger Stimme neben dir, bis man(n) dann einfach aufgibt und sie krault.

Doch spätestens nach fünf Minuten Kraulen kommt dann von der Frau der Einwand : »*... kraul mich mal richtig und nicht so lustlos. Wenn du nicht willst, musst du es sagen!*«

Vorsicht, bei dem Satz ***»Wenn du nicht willst, musst du es sagen!«*** handelt es sich um eine Falle.

Wir Männer neigen dazu, darauf reinzufallen. Die Antwort auf diesen Wortlaut hat schon des Öfteren zu kompletten Veränderungen einer Beziehung geführt. Doch dieses Buch ist ja nicht geschrieben worden, um Frauen vorzuführen, sondern eigentlich, um Hilfestellung zu geben. Mein Interesse liegt im Wesentlichen darin, Beziehungen zu schützen.

Redewendung

»Wenn du nicht willst, musst du es sagen.«

Hierbei handelt es sich um eine Falle. Frauen wollen uns mit diesem Satz das Gefühl des Verständnisses und des Vertrauens geben. Dem ist aber in Wirklichkeit nicht so. Es ist alles geplant. Aufgrund der hohen Intelligenz einer Frau gehört der Satz zu ihrem Plan. Folgendes passiert im Mann beim Eintreffen des Satzes im Gehör. Im Gehirn werden erneut Hormone und Glücksstoffe freigesetzt. Die Pupillen des Mannes öffnen sich, damit mehr Licht wahrgenommen werden kann. Die Gesichtsmuskulatur spannt sich langsam an, und es entsteht ein leichtes Lächeln im Gesicht. Antiproportional zur Gesichtsmuskulatur verhält sich die Arm- und Schultermuskulatur. Sie entspannt sich und leitet die Kraft in die Beine des Mannes, damit er schnellstmöglich aufstehen und sich von der Gefahrenstelle »Kraulen« entfernen kann. Doch nicht nur die Muskulatur wird beansprucht und durch den Satz der Frau manipuliert, sondern auch die inneren Organe und die Stimmbänder. Der Mann verliert, basierend auf dem Glücksstoffüberschuss, die Fähigkeit zur objektiven Wahrnehmung und gerät in eine Art Trance.

In dieser Situation neigt der Mann dazu, die Wahrheit zu sagen, ohne vorher über die Konsequenzen nachgedacht zu haben. Ohne dass er es bewusst mitbekommt, gleitet ein Gemisch von Wörtern über seine Zunge, die den Ausgang des Tages komplett verändern wird. Auf den Satz der Frau: »*Wenn du nicht willst, musst du es sagen*«, sagt er einfach nur: »*Dann ist ja gut, tschüs!*«

Eins ist sicher, er muss zwar nicht mehr zwei Stunden kraulen, muss sich aber vier Stunden verschiedene Vorträge der Frau anhören, warum er sie nicht mehr liebt und was denn an ihrem Körper mal wieder nicht in Ordnung sei und und und …

Mein Tipp: Augen zu und kraulen.

Vokabeln

Vorspiel	*für den Mann langweiliger Zeitabschnitt vor dem tatsächlichen Paarungsritual*
Ja.	Nein.
Nein.	Ja.
Oh ja!	Oochh nööö!
Schön! (In Bezug auf Sex)	Geht so!
Gut!	Geht gerade so!
Mach weiter!	Wann ist es vorbei?!?
Ich komme!	Hab keine Lust mehr!
Du Sau!	Beweg dich mal!
Du warst toll!	Ging schneller, als ich dachte!
bisschen	viel
ein kleines bisschen	sehr viel / sehr lange
nur ein kleines bisschen	verdammt viel / super lange
Kuscheln!	Hab keine Lust auf Sex!
Kraulen!	Ich bin müde und kann nicht pennen!
Habe Kopfschmerzen!	Wir hatten doch letzte Woche Sex!
Ich muss früh raus!	Warum schläfst du nicht einfach?
Sonst gerne!	Probier es mit Selbstbefriedigung!
Ist schon Mitternacht!	Pack mich jetzt bloß nicht an!
Massierst du mich?	Wage es bloß nicht, Nein zu sagen!

Nur die Schultern!	Den ganzen Körper!
Du musst nicht!	Entweder Massage oder Krieg!
Ich dich auch …	Bla, bla, bla …
Ich kann nicht schlafen!	Kraul mich weiter!
Schlaf gut!	Wehe, du schnarchst!
Träum was Schönes!	Rede nicht wieder im Schlaf!
Bin ich zu fett?	Sag mir, dass ich geil aussehe!
Wie gefällt dir mein Busen?!?	Wehe, du sagst etwas Falsches, dann war es das letzte Mal, dass du den angefasst hast!
Ich bin zu fett!	Sag, dass es nicht stimmt!
Doch, ich bin zu fett!	Versuch, mich vom Gegenteil zu überzeugen!
Ich bin viel zu fett!	*Diesbezüglich gibt es keine Übersetzung. Die einzige Möglichkeit für uns Männer, heil aus der Sache rauszukommen, ist entweder wegrennen oder einen Herzinfarkt vortäuschen.*
Du liebst mich nicht mehr!	Los, sag, dass du mich liebst!
Du hast eine andere!	Warum nervst du mich abends nicht mehr mit Annäherungsversuchen?!?
Ich muss abnehmen.	Sag mir erneut, dass ich schön bin!
Ich muss unbedingt zum Sport.	*Hierbei handelt es sich um einen Füllsatz ohne Bedeutung.*

Eifer-sucht

10.

Ich glaube, bei dem Thema Eifersucht handelt es sich um das sensibelste Thema bei den Frauen. Sicherlich gibt es auch eifersüchtige Männer, doch die präsentieren ihre Eifersucht auf dem silbernen Tablett. Frauen wiederum sind eher die versteckten Eifersuchtspartner. Ähnlich wie bei offenen und versteckten Fetten in Lebensmitteln. Die offenen Fette sieht man sofort, und es liegt jetzt an jedem selber, was er damit tut. Doch die versteckten Fette sind einfach da, man sieht sie aber nicht. Man spricht in der Medizin von verborgenen Gefahren. Ähnlich verhält sich das mit der Eifersucht. In immer mehr Fällen kam es zu unterstellter Eifersucht. Eifersucht, basierend auf lediglich angenommenen Situationen. Dafür gibt es ein Sprichwort:

Die Fantasie des einen ist der Untergang des anderen.*

***Mario Barth**

Gut, jetzt stellt sich natürlich die Frage, wer ist wie oft eifersüchtig. Auch da hängt es ganz von den Bundesländern ab. Ich kann nur eins mit Garantie sagen, dass, egal wo ich momentan lebe, dort die Eifersucht sehr hoch ist.

ustig ist auch das schon von mir erwähnte unterschied-
che Verhalten von Männern und Frauen bei der Eifer-
ucht.

Venn Männer eifersüchtig sind, dann sagen sie es gerade-
eraus: »*Wenn du mir fremdgehst, dann nimm all deine*
Ds mit, damit du ja nicht mehr wiederkommen musst.«

rauen hingegen quatschen lange um den heißen Brei. Da
ommen so Sätze wie: »*... aha, du gehst also mit deinen*
umpels weg. Nur so mal ein Bier trinken, und das am
amstag abend um 23:00 Uhr. Ach, und dein Telefon lässt
lu zu Hause, damit du es nicht verlierst ... bla, bla, bla ...
nd wie heißt sie???«

)a sieht man sehr deutlich das unterschiedliche Verhalten.
ı Fachkreisen spricht man von Verlustängsten der Frau,
loch Frauen würden es nie zugeben. Man kann es ganz
eicht ausprobieren.

Sie müssen nur mal nach Hause kommen und Ihre
Frau fragen, was sie denn machen würde, wenn
ie nicht mehr da wären. Als Antwort käme dann be-
timmt: »*Wenn du nicht da wärst, wäre ein anderer da.*«

chön ist auch die Frage, wenn man von einer durchzech-
en Nacht nach Hause kommt und die Frau im Flur steht

um vier Uhr morgens – die Arme an den Türrahmen gelehnt, mit extrem genervtem Blick – und dann die Frage stellt: »*… und, hast du mich betrogen?*«

Was soll diese Frage, selbst wenn es so wäre, wa soll der Mann denn da sagen:
»*… warte mal, jetzt wo du es sagst!!!*«
»*… ja, zwölfmal, war geil, hahahahah!*«

Das ist den Frauen aber egal, sie wollen keine ehr liche Antwort, sie wollen hören, dass man nur si liebt und niemals eine andere lieben kann.

Ganz gefährlich wird es bei Frauen, die irgend wann mal fragen, was du als Mann denn macher würdest, wenn sie tot wären. Achtung: Auch hierbei han delt es sich wieder um eine Fangfrage.

Selbst wenn du als Mann sagst, dass du nur sie lieben wür dest und vor allem lieben könntest und wenn sie nich mehr da wäre, du auch immer alleine bleiben würdest fängt unvermeidlich eine Diskussion an.

Frau: »*Wie, du würdest dein ganzes Leben alleine blei ben?*«

Mann: »*Ja, ich werde nie wieder eine andere Frau so lie ben können wie dich.*«

Frau: *»Ach so, wie würdest du denn dann deine neue Freundin lieben?«*

Mann: *»Wie … was?!«*

Frau: *»Du hast gerade gesagt, du könntest eine andere Frau nicht so lieben wie mich, also kannst du sie anders lieben. Wie denn?«*

Mann: *»Das weiß ich doch nicht!«*

Frau: *»Also würdest du dir doch eine neue Freundin suchen, sonst müsstest du dir ja auch keine Gedanken machen, wie du sie lieben würdest!«*

Mann: *»Ich mach mir doch gar keine Gedanken darüber, wie ich sie lieben werde.«*

Frau: *»Na toll, dann weißt du es also schon! Wer ist es denn?«*

Jetzt merkt man langsam, wie dem Mann die Diskussion zu blöde wird und er keine weiteren Argumente mehr hat, um ihr plausibel zu erklären, dass er es einfach noch nicht weiß, was denn wäre, wenn mal vielleicht und überhaupt. Zumal es für uns Männer total schwierig, wenn nicht sogar unmöglich ist, Dinge im Vorfeld zu besprechen. Die Frage stellt sich genauso den Frauen, wenn wir Männer nicht mehr sind. Doch das ist bei Frauen etwas anders.

Mann: *»Was würdest du denn machen, wenn ich nicht mehr bin?«*

Frau: *»Ich bleib für immer alleine.«*

Mann: »*Wer sagt mir, dass es wirklich so ist?*«
Frau: »*Ich sag es, und jetzt Schluss mit der Diskussion!*«

Wie schon gesagt, bei Frauen ist es etwas anders. Frauen sind auch auf alles und jeden eifersüchtig. Teilweise bekommen wir Männer manche Situationen nicht mit, in denen sich ein Eifersuchtsdrama anbahnt.

Beispiel: Es ist Sommer, die Straßencafés sind geöffnet, die Außentemperatur beträgt angenehme 24 Grad Celsius. Die weibliche Menschheit bewegt sich leicht gekleidet durch die Straßen dieser Welt. Kleine Schäfchenwolken schweben wie Zuckerwatte durch die Lüfte. Ein kleiner Bach fließt unweit vom Straßencafé vorbei. Wenn das Klimpern der Tassen und Gläser nicht wäre, könnte man denken, man wäre im Paradies ... So, jetzt mal Schluss mit dem Geschnulze, jeder kennt die Situation. Der Mann sitzt mit der Frau draußen in einem Café und trinkt einen mittlerweile üblichen Latte macchiato. Eine Frau, ebenfalls leicht gekleidet, läuft an dem Café vorbei. Wie aus dem Nichts ertönt die Stimme der Frau, die neben dem Mann mit dem Latte macchiato sitzt:

»Und ... wie fandst du die?«

Du als Mann bist im ersten Moment total überfordert. Nichts ahnend fragst du nach, was sie mit dieser Frage meint. Wie aus der Pistole geschossen, kommt von ihr nur:

»Frag doch nicht so blöde! Ich will doch nur wissen, wie du die Frau mit dem engen Rock fandest, der du ununterbrochen auf den geilen Arsch geglotzt hast.«

Merken Sie, was da gerade passiert? Die Situation spitzt sich langsam zu. Sofort wird uns Männern unterstellt, dass wir ununterbrochen Frauen auf den Arsch glotzen. Nur mal zum besseren Verständnis, wir Männer gucken auch einfach nur mal so durch die Luft. Männer machen das öfter, einfach nur blöde Löcher in die Luft glotzen. Frauen können das verständlicherweise nicht nachvollziehen, da bei Frauen alles, was sie machen, für sie einen Sinn ergeben muss.

Selbst wenn der Mann jetzt versucht, der Frau zu erklären, dass er gar nicht geglotzt hat, bringt das nichts. Die Frau hat sich komplett auf den Vorwurf eingeschossen: *»Kannst du mir ruhig sagen, dass du die gut findest, die sah ja auch knackig aus!«*

Auch hier handelt es sich wieder um eine Falle. Sobald du als Mann darauf eingehst und sagst, *»Stimmt, jetzt wo du es sagst – die hat wirklich schöne Beine und einen knackigen Arsch«*, kommt prompt von ihr:

»Dann geh doch zu der, wenn du sie besser findest!!!«

UND...
WIE FINDEST DU DIE?
WAT? WEN?
KANNST RUHIG SAGEN, DASS DU DIE SCHARF FINDEST...
... IST NICHT SCHLIMM...
STIMMT, SIEHT GUT AUS...
DANN KANNST DU JA GLEICH SCHLUSS MACHEN!!
?
REY

Frauen sind, wie gesagt, auf jeden und alles eifersüchtig, selbst auf Kinostars aus den USA.

Ich kann mich noch daran erinnern, wie ich den Film »Basic Instinkt« gesehen habe. Die legendäre Szene mit Michael Douglas und Sharon Stone. Für alle, die den Film nicht gesehen haben: Michael Douglas ist ein Polizist und muss einen Mord aufklären, der unter mysteriösen Umständen passiert ist. Eine Männerleiche wird tot auf einem Bett aufgefunden. Bei der Tatwaffe handelt es sich um einen Eispickel. So weit erst mal zur Geschichte des Films. Hauptverdächtige ist Sharon Stone, eine reiche Witwe, die mit ihrer Zeit nichts anzufangen weiß. Ihre Neigungen sind bisexueller Natur.

Michael Douglas schnappt sich Sharon Stone und nimmt sie mit aufs Revier. In einem Verhörzimmer sitzen sie sich gegenüber. Zwischen ihnen ist einzig und alleine der leere Raum. Michael Douglas ist mit einem Anzug bekleidet, während Sharon Stone ein sehr elegantes cremefarbenes, kurzes Kleid trägt. Der Clou bei der Sache, sie trägt unter dem Kleid keinen Slip. Sie ist also nackt.

Folgende Situation entsteht: Sharon Stone sitzt Michael Douglas arrogant und selbstbewusst gegenüber, sie hat ihre Beine elegant übereinander geschlagen und zündet sich trotz Rauchverbot sehr erotisch eine Zigarette an.

Während sie an dem Glimmstängel zieht, schlägt sie ihre Beine langsam in einem hohen Bogen auseinander. Sie sitzt nun breitbeinig, ohne Slip bekleidet, vor Michael Douglas, der eh schon etwas geil auf Sharon ist. Der Blick zu »Sie wissen schon« ist frei. Nichts hindert die Sicht auf …
So, jetzt kennen Sie die Szene.

Ich sitze also mit meiner Freundin vor dem Fernseher. Wir schauen gespannt den Film, die Szene mi ohne Schlüpfer kommt, ich habe mir extra für diese Szene einen DVD-Player gekauft, um das Bild ranzoomen zu können. Von Hormonen geleitet, mit meiner Freundin neben mir auf dem Sofa sitzend, mir keinerlei Konsequenzen bewusst, sage ich leicht stotternd und sabbernd, meine Augen auf das Standbild gerichtet …

»Wenn die hier klingeln würde, die würd ich nicht von de Bettkante stoßen.«

Jetzt fängt der Eifersuchtskrieg richtig an. Sie, wie von de Tarantel gestochen, sofort:

»Wie, was heißt das denn? Du würdest mich also betrügen!«

Sie rennt sofort total sauer zum Telefon, ruft ihre beste Freundin an und sagt ihr ganz klar, dass ich sie jetzt betrü gen würde, und zwar mit Sharon Stone. Man würde jetzt denken, dass die Freundin versucht, die Situation zu schlichten. Dass sie ihr sagt, dass Sharon Stone nicht das Problem sei, weil sie in den USA wohnt. Weit gefehlt, die Freundin sagt am Telefon nur:

»Dein Freund betrügt dich mit Sharon Stone? Die Sau, schmeiß den raus, der hat dich gar nicht verdient! Dann soll er doch zu der ziehen.«

Nur mal zum besseren Verständnis, die Wahrscheinlichkeit, dass Sharon Stone nach Deutschland kommt, extra nach Berlin fliegt, durch meine Straße läuft und plötzlich aufschreit und sagt: »*... wohnt hier nicht der Barth?*«, und dann auch noch bei mir klingelt ... Die Wahrscheinlichkeit ist so gering, dass selbst, wenn sie es mal macht, meine Freundin nicht böse sein darf. Aber auch dieses Argument zieht überhaupt nicht. Sie ist der Meinung, dass der Wille zählt.

Der Knaller ist aber die Vorhaltezeit. Frauen vergessen diesbezüglich nichts. Irgendwann, so nach sechs Monaten, sitze ich am Mittagstisch, bekomme das Essen und wage zu bemängeln, dass sie es mit dem Salz an den Kartoffeln zu gut gemeint hat. Sofort kommt von ihr: *»Dann ruf doch Sharon Stone an, vielleicht kann die ja besser kochen.«*

Um jetzt die Situation zu retten, bedarf es sehr vielen Fingerspitzengefühls. Es nützt nichts, wenn wir Männer daraufhin etwas erwidern, um der Frau klar zu machen, dass es jetzt langsam albern wird. Man muss bedenken, dass Frauen längst nicht so rational denken wie Männer. Es ist nicht wichtig, ob es albern ist oder nicht. Die Frau hat ihren Frust beziehungsweise die Eifersucht auf Sharon Stone Monate mit sich rumgetragen und auf diesen Augenblick gewartet, bis der Mann sich mal wieder beschwert.

Jetzt ist der Zeitpunkt gekommen, wo es nur noch eine Möglichkeit gibt, eine Chance, um das zu verhindern, wovor jeder Angst hat – die Rache der Frau oder auch genannt: die Apokalypse. Es ist der Zeitpunkt, wo wir Männer einfach mal die Klappe halten sollten. Die Frau befindet sich in einem Zustand der Unzufriedenheit.

Frauen, im Gegensatz zu Männern, benötigen wesentlich häufiger emotionale Bestätigungen. Je länger die Beziehung besteht, desto mehr Bestätigungen benötigen Sie. Antiproportional hingegen verhält es sich bei den Männern. Je länger Männer mit ihren Frauen zusammen sind, desto weniger wollen sie mit ihnen sprechen.

Und?	Versuch mich nicht zu verarschen!
Na, hier …	Du weißt genau, was ich meine!
Also, ehrlich!	Stell dich doch nicht so doof!
Wie findest du sie?	Wehe, du sagst, dass sie besser aussieht als ich!
Sieht nicht schlecht aus!	Los, sag, dass es nicht stimmt!
Die hat schon …	Jetzt pass mal genau auf, die hat …
… einen knackigen Arsch!	… Cellulitis!
… geile Titten/Brüste/Hupen!	… Hängebrüste, sieht aus wie Mandarinen in Tennissocken!
… schöne, lange Haare!	… eine billige Dauerwelle und kaputte Spitzen!
… tolle Augen!	… gleich ein blaues Auge, wenn die dich noch länger so anglotzt!
… zarte Lippen!	… so viel Silikon im Mund, damit kannst du die Fenster eines 17-stöckigen Bürohauses abdichten!
… eine schmale Taille!	… sich 2 Tonnen Fett absaugen lassen!
… schöne, lange Beine!	… mit einem Storch gepokert und die Beine gewonnen!
Ist das so dein Typ?	Wenn ja, kannst du gleich zu einer Nutte gehen!

Sag es mir ruhig!	Los, trau dich und sag, dass du sie besser findest als mich!
Ist nicht schlimm.	Pass genau auf, was du jetzt sagst!
Ich bin nicht eifersüchtig!	Wenn die nicht aufpasst, zieh ich sie an den Haaren, beiße ihr in die Arme und kratze ihr die Augen aus!
Tolle Frau!	Schlampe!
Schaaaatz! *(sehr laut gesprochen!)*	Seht her, das ist mein Mann!
So gut sieht die nicht aus!	Sie ist halt ein Model!
Ich bleib für immer alleine!	Sobald du weg bist, hab ich einen Neuen!
Ich liebe nur dich!	Es ist momentan kein anderer da!
Wenn ich dich nicht hätte!	... dann hätte ich jemand anderen!
Bleib mir treu!	Wenn du mir fremdgehst, mach ich dir das Leben zur Hölle!
Wenn ich da was merke ...	Hauptsache, du merkst nichts!
Ich kann auch so sexy aussehen!	Das stimmt, doch das mache ich nicht für dich ...
Danke für die schönen Blumen!	Na, endlich ist es raus, du bist mir doch fremdgegangen!

Streiten

11.

Auch in einem Streit unterscheiden sich Frauen von Männern. Männer streiten nicht so lange wie Frauen. Wenn Männer streiten, dann kommen sie nach Hause, die Stimmung ist völlig im Keller, der Ruhepuls ist bei 210, und der Blutdruck steigt ins Unermessliche. Der Mann reißt die Tür auf, sucht sich das vermeintliche Opfer und legt los. Lautes und unverständliches Brüllen macht sich in der Wohnung breit. Alle Nachbarn wissen genau, was jetzt abgeht. Wild gestikulierend rennt der Mann in der Wohnung auf und ab. Diese Situation hält ca. zwölf Minuten an. Nach dem Anfall beruhigt sich der Mann, setzt sich auf die Couch, zündet sich eine Zigarette an, schaut sich um, wo die Freundin ist, und will Versöhnungssex. Ende.

Bei Frauen läuft es etwas anders ab. Der Streit bei Frauen dauert in der Regel mehrere Tage, wenn nicht sogar Wochen. Der Streit beginnt schon ganz anders. Während Männer sich einfach nur durch lautes Rumgebrülle Luft verschaffen und alles aus sich rauslassen, sind Frauen hinterhältiger und viel berechnender als wir Männer. Frauen fangen ganz langsam an und hören dafür tierisch heftig auf. Eine Frau fängt in der Regel einen Streit immer mit einer Frage an:

? ***»Schatz, bist du eigentlich der Meinung, dass ich fett geworden bin?«***

Typische Antwort des Mannes: *»Ich finde nicht, dass du fett geworden bist!«* Bis hierhin ist alles eigentlich in Ordnung.

Denkste! Nichts ist in Ordnung. Frauen sprechen nicht nur im Subtext, die hören auch Dinge, die man nicht gesagt hat. Achten Sie auf den Satzteil … *ich finde nicht*. Sofort fühlt sich die Frau angegriffen, und jetzt kann das Spiel beginnen.

Frau: *»Wie, du findest nicht, wer findet es denn dann?«*
Mann: *»Weiß ich nicht.«*
Frau: *»Du hast gerade gesagt, du findest nicht, also muss es ja irgendeiner finden, dass ich zu fett geworden bin. Also sag es ruhig, wer ist es?«*
Mann: *»Keine Ahnung, ich hab doch nur gesagt, dass ich dich nicht zu fett finde.«*
Frau: *»Du Feigling, das war bestimmt dein bester Freund, der mich zu fett findet. Der will uns nur auseinander bringen, die Sau!«*
Mann: *»Der hat damit nichts zu tun.«*
Frau: *»Jetzt nimmst du den auch noch in Schutz. Das sind ja schöne Saiten, die du hier aufziehst. Dir ist also dein bester Freund wichtiger als ich?«*

In dieser Situation passiert Folgendes: Die Frau fühlt sich nicht verstanden, sucht einen Schuldigen, hat ihn augenscheinlich gefunden, und Sie als Mann machen den kompletten Plan der Frau zunichte, indem Sie ihr das Opfer »der beste Freund« wegnehmen. Die Situation droht zu eskalieren. Wenn nicht der beste Freund Schuld hat, wer denn dann? Bis hierhin war alles noch ein Kinderspiel, doch jetzt geht es richtig los.

Ein Tipp für alle Männer: Rennt, was das Zeug hält, denn die Frau kommt jetzt in eine Wechselsituation! Und immer daran denken, Kuba liefert nicht aus.

Definition

»Wechselsituation« oder auch »Das Dr Jekyll & Mr Hyde-Syndrom«

Eine Wechselsituation entsteht bei einer Frau sehr oft beim Streit, in der Hitze des Gefechts! Eine Frau ist dann nicht mehr berechenbar. Sie steht jetzt mit dem Rücken zur Wand und argumentiert nur noch um des Argumentierens willen und nicht mehr, um eine Lösung des Streites herbeizuführen. Egal, was der Mann jetzt macht, er verliert. Es ist ein Wechselspiel zwischen Gut und Böse.

Nun wird es gefährlich. Die Frau fühlt sich nicht geliebt, warum auch immer. Wie aus dem Nichts wirft sie dem Mann vor, dass er sie nicht mehr liebt. Es reicht nicht, wenn wir Männer einfach sagen: »*Schatz, das stimmt nicht!*« Folgender Wortlaut wird in 97,683% aller Beziehungen daraufhin gesprochen.

Frau: »*Du liebst mich nicht mehr!*«
Mann: »*Doch, ich liebe dich.*«
Frau: »*Nein, tust du nicht. Du liebst mich nicht mehr.*«
Mann: »*Doch Schatz, ich liebe nur dich.*«
Frau: »*Nein, tust du nicht, sag es ruhig.*«
Mann: »*Schatz, ich lieb dich wie am ersten Tag.*«
Frau: »*Siehst du, nichts hat sich verändert.*«

Hier sieht man sehr gut: Egal, was wir Männer sagen, wir können nur verlieren.

Selbst wenn wir Verständnis für das Problem aufbringen und es beheben wollen, geht es zu 99% in die Hose. Wir Männer hören den Satz »*Du liebst mich nicht mehr*«, sofort versuchen wir zu reagieren und wollen sie in den Arm nehmen, um ihr das Gefühl der Geborgenheit zu geben. Wir möchten, dass sie die Wärme spürt, die in der Seele eines liebenden Mannes ihr Zuhause gefunden hat. Jetzt nimmt die Situation eine gefährliche Wendung. Kurz bevor wir mit weit ausgebreiteten Armen auf die von uns Angebetete zulaufen, schreit sie den Mann an: »*...pack mich nicht an!*«

Der Zustand der Verwirrung macht sich breit. Leere durchdringt den Verstand des Mannes. Hatte sie sich nicht noch vor wenigen Sekunden darüber beschwert, dass sie nicht geliebt wird?

Ist das beste Zeichen, um seine Liebe nach außen erkenntlich zu machen, nicht der Körperkontakt?

Meckern Frauen nicht permanent, dass wir Männer nur an das EINE denken und sie nicht mal einfach nur in die Arme nehmen?

Natürlich tun sie das … doch wat iss jetzt? Jetzt wollen wir sie in den Arm nehmen, und sie verweigert sich unserer Liebe. Wer liebt jetzt wen nicht mehr?!? Doch wir Männer sind tolerant und einfühlsam. Sie will sich nicht in den Arm nehmen lassen, dann hören wir halt einfach nur mal zu.

Oft ist das Problem in Beziehungen, dass der Mann der Frau nicht zuhört. Das tun wir Männer schon, doch Frauen haben eine andere Definition von »zuhören«.

Wir Männer, nett, wie wir sind, setzen uns auf das Sofa, machen den Fernseher leise, lehnen uns zurück und sagen mit einem verständnisvollem Lächeln: »*Schatz, ich nehme mir Zeit für dich und höre dir zu.*«

Das war ein großer Fehler. Sofort fängt die Frau an, einen Plan zu schmieden. Sie erkennt ihre Chance. Die Wörter »Zeit« und »zuhören« sind noch nicht ganz verklungen, da erreicht ein Schwall vorwurfsvoller Worte das Gehör des Mannes. Unverständliche Wortkombinationen, untermauert von lauten Schnappgeräuschen, durchdringen die Ruhe im Raum. Die Frau baut sich vor dem Mann auf und lässt so richtig Dampf ab. Der über die Jahre angestaute Frust hat nun freie Bahn zum männlichen Gehirn. Der Startschuss für ein etwas längeres Gespräch ist gefallen. Jetzt packt die Frau so richtig aus. Es kommen Sätze wie:

»Schau dich mal an!«

»Langsam reicht es mir!«

»Das ist schon seit fünf Jahren so bei dir!«

veni vidi vici

Liebe Männer, auch hier: Bloß nicht einmischen, sondern einfach noch die Klappe halten! Frauen haben definitiv den längeren Atem. Die ziehen das gnadenlos durch. Wenn die wollen, geht das im Bett weiter, ob man schlafen will/muss oder nicht. Das ist den Frauen scheißegal. Auch Versöhnungssex kann man voll vergessen; nicht nur für einen Tag, sondern für mehrere Wochen. Gut, alle Männer, die eh keine Lust mehr auf Sex haben und mittlerweile auf beiden Ohren taub sind, die können dazwischenlabern. Für alle, die ab und zu noch mal Zärtlichkeiten austauschen bzw. loswerden wollen oder ein noch immer gutes Gehör haben, ist es besser, einfach nur zuzuhören. Auch wenn die Inhalte nicht ganz stimmen. Wenn wir ehrlich sind, dann lieben wir die Frauen dafür. In manchen Fällen macht Wut sogar sexy.

Gute Zeichen sind immer noch die Wörter »*langsam*«, »*so gut wie immer*«, »*beinahe*« etc. Sie symbolisieren noch keine Endgültigkeit.

Schlimmer wird es bei Wendungen wie: »*nie*«, »*Es reicht.*« oder »*Meine Mutter kommt zu Besuch.*« Hier ist klar und deutlich eine Endgültigkeit zu erkennen.

Selbst wenn in den Standardmeckersätzen falsche Zeitangaben gemacht werden: Es ist besser, das zu ignorieren. Wenn sie sagt: »*... das ist schon seit fünf Jahren so bei dir.*« – und Sie sind erst drei Jahre mit ihr zusammen: Trotzdem Schnauze halten. Dann müssen Sie kurzfristig für die Fehler des Ex-Freundes geradestehen. Besser, als die Diskussion beziehungsweise den Monolog ins Unendliche zu ziehen.

Liebe Männer, sagen Sie niemals im Streit den Satz: »*Du bist genau wie deine Mutter.*« Wenn dieser Satz fällt, haben Sie verloren. Bedenken Sie auch, dass Worte, die bereits gesagt wurden, nicht wieder rückgängig gemacht werden können, indem Sie so tun, als wenn Sie etwas anderes damit gemeint hätten.

12. Urlaub

Nun kommen wir zu einem ganz besonderen Thema: dem Urlaub.

Seufz!

Man möchte meinen, dass der Urlaub der Erholung dient – weit gefehlt. Außer, man macht den Urlaub alleine. Es ist in diesem Fall egal, ob Männlein oder Weiblein, sie verstehen sich schon zu Hause nicht, wie soll es denn dann im Urlaub klappen. Die Problematik fängt ja

nicht erst im Urlaub an. Wenn sie da angekommen sind, haben sie das Gröbste schon hinter sich.

Die heiße Phase ist die Urlaubsvorbereitung.

Es fängt schon beim Kofferpacken an. Während die Frau ca. zweitausend Teile in verschiedene Koffer, Taschen und Rucksäcke verteilt, braucht der Mann lediglich eine Ersatzunterhose, und die auch nur, wenn er seine Hauptunterhose aus Versehen verliert. Wir Männer sind diesbezüglich sehr einfach gestrickt. Primitiv, aber glücklich. Zumal wir ja eh den ganzen Tag ein und dieselbe Shorts anhaben. Frauen benötigen aber für den Abend eine Vielzahl von Schuhen, Kleidern, Röcken, Blusen und und und. Wir Männer nehmen eine Jeans mit, und die reicht für 14 Tage.

Alleine der Kulturbeutel der Frau sprengt alle Vorstellungskräfte des Mannes. Der Trend geht zum Zweit- und Dritt-Kulturbeutel.

Seufz!

Cremchen hier, Paste da, After Sun dort. Frauen schleppen alles mit, und das benötigt natürlich auch Platz – und Zeit beim Packen. Hier mal ein kleiner Auszug aus einer Packliste von Mann und Frau.

Mann
1x Zahnbürste
1x Hose
1x Ersatzunterhose
1x T-Shirt
1x Hemd
1x Socken
1x Badehose
1x Skatkarten

Frau
001x Zahnbürste
001x elektrische Zahn-
bürste
001x Zahnseide
269x verschiedene Creme-
tuben
118x After Sun Präparate
003x Kulturbeutel
006x Hosen
003x kurze Hosen
004x langärmlige Blusen
008x kurzärmlige Blusen

006x Röcke
004x Kleider
002x Abendkleider
087x Unterhosen (Slips)
087x BHs
004x Bikinis
003x Badeanzüge
003x Badelatschen (blau)
002x Badelatschen (gelb)
001x Badelatschen (geblümt)

004x Kugelschreiber für Postkarten
001x Lustiges Reisespiel
003x Bücher von schnulzigen Autoren
001x Kopfkissen für die Strandliege*)
Etc. ...**)

*) wird nie benutzt
**) Es kommen noch ca. 56 Kilo Klamotten dazu. Diese können aber aus Platzgründen nicht angegeben werden. Dabei handelt es sich um jeweils eine Ausrüstung für Temperaturen von 14° C bis 19° C und von 20° C bis 29° C. Sollte es doch wärmer werden in dem Urlaub als erwartet, wird natürlich eingekauft, bis die Kreditkarte leer ist. Rechnungen in Höhe von mehreren tausend Euro bezüglich des Übergepäcks sind keine Seltenheit.

Bei dieser Liste handelt es sich einzig und alleine um das Gepäck, das aufgegeben wird. Die Rede ist noch nicht vom Handgepäck. Alleine beim Handgepäck rasten Frauen total aus. Es wird alles mitgenommen, was man jemals hätte gebrauchen können oder auch nicht. Meine Freundin nimmt sogar Medikamente mit. Nicht eine Kopfschmerztablette und etwas gegen Übelkeit, nein, wir haben so viel mit, wir könnten im Flugzeug oben operieren, wenn wir wüssten, wie das geht.

Auch Brote werden mitgenommen. Hallo ... Brote??? Im Flugzeug gibt es etwas zu essen. Selbst wenn es einem nicht schmeckt, dann isst man halt nichts. Man kann ja mehrere Stunden ohne Essen auskommen. Manche Passagiere sogar mehrere Monate, wenn man sich die genauer ansieht. Das ist einer Frau egal, sie nimmt Brote mit. Natürlich, wie oft ist es schon vorgekommen, dass ein Flugzeug abstürzt und man im Sitz wartet und sagt: *»Och, jetzt so ein Leberwurstbrot, das wär doch was!«*

Egal, alles wird mitgenommen. Ich weiß auch, warum: Weil wir Männer den ganzen Scheiß tragen dürfen. Da fängt doch der Urlaub schon schön an.

Autofahrt
13.

Oha, das ist jetzt mal ein empfindliches Thema. Vorab muss ich natürlich sagen, dass es immer mehr Frauen gibt, die gut Auto fahren. Das folgende Thema hat auch nichts mit dem Können der Frau zu tun; eher mit dem Verhalten im Straßenverkehr – besonders wenn der Mann fährt.

Nehmen wir mal ein Beispiel: Es ist Sommer, die Sonne scheint, Urlaubsgefühle liegen in der Luft. In der kommenden Woche gibt es einen Brückentag. Das heißt, der Donnerstag ist ein Feiertag, und man nimmt sich den Freitag frei, um ein entspanntes und vor allem langes Wochenende zu genießen. Bis hierhin ist alles in bester Ordnung.

Doch leider ist das Verständnis bei Männlein und Weiblein, bezogen auf das Wort »Entspannung«, unterschiedlich. Männer sehen die Entspannung im Rumgammeln, Abhängen und Ausschlafen, während Frauen immer etwas unternehmen wollen.

Jetzt wird es spannend: Die Frau schlägt dem Mann vor, dass man ja bei einem verlängerten Wochenende schön ins Grüne fahren könnte. Die Aussage *»Könnte«* bedeutet nicht, dass diese Idee zur Diskussion freigegeben ist, es handelt sich schon um eine beschlossene Sache.

Na, ein Glück, dass wir die Einzigen waren, die diese Idee hatten. Mit uns fuhren noch circa sechshundert Millionen andere Menschen ins Grüne, was den Bereich der Entspannung sehr einschränkte. Die komplette Autobahn war dicht, und wir standen natürlich im Stau, wat denn auch sonst.

Jetzt muss man sich folgende Situation vorstellen: Der Mann sitzt mit seiner Frau im Auto, null Bock auf Wald und Spazierengehen, vor ihm 1 Million Autos und hinter ihm auch ein Arsch voll Blechvehikel. Er steht im Stau, 40° C im Schatten und 100° C im Auto, wo man krampfhaft die Steine sucht, um einen Pinienaufguss zu machen.

Die Frau sitzt neben ihm, und was macht sie ... natürlich, sie macht die Heizung volle Pulle an.

Frauen ist ja bekanntlich immer kalt. Dass wir Männer beinahe an einem Hitzetod sterben, ist den Frauen nicht nur egal, man hat sogar manchmal den Eindruck, dass sie es begrüßen würden, wenn wir kollabieren.

Was passiert? Der Mann fängt an zu schwitzen, die Innentemperatur steigt von 100° C auf 270° C, die Windschutzscheibe droht aufgrund der hohen

Hitze zu zerplatzen, und die Schweißdrüsen des Mannes arbeiten auf Hochtouren. Vor dem Auto bewegt sich nichts, der Mann ist völligst genervt, schwitzt wie die Sau, hat es eilig und die Schnauze voll ... und was passiert? **Der hinter ihm hupt.**

Spätestens jetzt ist der Zeitpunkt gekommen, wo sich die Überlegung in dem Kopf des Mannes breit macht, wie viel Jahre er denn im Gefängnis sitzten müsste, wenn er den Hintermann mit einer stumpfen Zigarettenschachtel erschlagen würde. Der Stresspegel ist auf 180. Der Mann steigt aus, geht zum Hintermann, schaut ihm freundlich, aber bestimmt in die Augen und sagt:

»... pass mal auf, Paule, wenn du das schneller kannst wie ich, dann nimm mich mit. Ich hab es auch eilig!«

In der Zeit, in der der Mann dem hupenden Vollidioten erklärt hat, was Phase ist, hat sich sein Auto mördermäßig aufgeheizt. Mittlerweile sind in dem Auto gute 6000° C, der Fahrzeughimmel ist schon runtergekommen, der Kleber hat sich gelöst. Die Nerven des Mannes liegen blank, doch das ist der Frau egal.

Frauen haben die Begabung, immer zur falschen Zeit das Falsche zu sagen.

MÜSSEN WIR HIER STEHN?
REY

Während der Mann ums Überleben kämpft, sitzt die Frau im Auto neben ihm und fragt ganz emotionslos: *»Müssen wir hier stehen?«*

Im Stau … was sollen wir darauf antworten …

»Nein, wir müssen hier nicht stehen, wir können auch einfach weiterfahren, wir machen zwar alles kaputt, aber das ist ja egal!«

14. Junge Mütter

Es gibt ja bekanntlich Frauen und Frauen. Sie unterscheiden sich nicht nur im Aussehen und im Alter, sondern sie unterscheiden sich auch dadurch untereinander, ob sie Kinder haben oder ob sie keine Kinder haben. Frauen ohne Kinder sind in der Regel pingeliger. Sobald Frauen Kinder bekommen, verändert sich das komplette Leben. Auch hier möchte ich sagen, dass sich meine Studie auf erzählte Theorien stützt. Folgende Namen und Fallbeispiele sind frei erfunden. Etwaige Übereinstimmungen mit Frauen in meinem Bekanntenkreis sind rein zufällig und nicht böswillig. So, haben wir das Rechtliche auch erledigt, kommen wir zu den Frauen, die noch schwanger sind, oder zu den Frauen, die das Kind schon bekommen haben. Auch hier gibt es Unterschiede.

Sobald Frauen schwanger sind, verändert sich bekannterweise auch der Hormonhaushalt. Doch nicht nur der verändert sich, sondern auch die komplette Lebenseinstellung. Dagegen ist so weit nichts zu sagen, doch in immer mehr Fällen kommt es dazu, dass Unschuldige mit in den Schlamassel gezogen werden.

Viele Frauen erleben eine Schwangerschaft das erste Mal und sind daher sehr aufgeregt. Alles kein Problem! Aber, liebe Frauen, auch für uns Männer ist eine Schwangerschaft ein neues und vor allem unerforschtes Gebiet. Ich finde es schon sehr lobenswert, wenn Männer mit zur Atemübung gehen und, um ihre Solidarität zu demonstrieren, gelegentlich Beckenbodenübungen vor dem Schlafengehen verrichten, doch wir Männer können für die Schwangerschaft genauso viel oder wenig wie die Frau. Es ist ja nicht so, dass die Frau schwanger geworden ist, weil sie zweimal falsch links abgebogen ist.

Seufz! Während der Schwangerschaft durchläuft die Frau bis zu 6872 verschiedene Gefühlsausbrüche. Von sauren Gurken mit Erdbeereis bis zum Verurteilen des Mannes, weil er ihr ein Kind in den Bauch gelegt hat, während sie geschlafen hat.

Schön ist eine Unterhaltung zwischen schwangeren Frauen und Frauen, die ihr Kind schon bekommen haben. Solche Unterhaltungen sind in der Regel einseitig und beinhalten einzig und alleine das Thema »MANN«. Es wird philosophiert, was der Mann mal wieder *nicht* macht und wie wenig er sich mit der Schwangerschaft auseinander setzt.

Es dauert nicht nur für die Frau neun Monate, bis die Schwangerschaft vorüber ist, sondern auch für den Mann. In den meisten Fällen wächst der Bauch des Mannes bei einer Schwangerschaft proportional zum Bauch der Frau mit. Der einzige Unterschied: Die Frau hat am Tag der Geburt schlagartig drei bis vier Kilo weniger im Bauch. Wenn das Kind nun endlich da ist und mehrere Wochen der

Schlaflosigkeit vorüber sind, sind all die Vorsätze, dass es bei einem selbst ganz anders läuft als bei den anderen, voll vorn Arsch.

Kaum ist das Kind da, durchläuft die Frau erneut einen Wandel des Körpers. Frauen fangen an, vollgesabberte Löffelbiskuits zu essen, und zwar aus dem Mund von dem Kind, das schon gute sechs Stunden darauf rumgekaut hat. Frauen trinken plötzlich Apfelsaft naturtrüb. Gut, der war vorher klar, d. h. bevor die Kinder mit ihren Händen drinnen gebadet haben.

Der absolute Oberknaller ist aber das Windelriechen. Ja, Sie lesen richtig, WINDELRIECHEN. Dabei handelt es sich um einen neuen Sport der frisch gebackenen Eltern, wobei der Schwerpunkt bei den Frauen liegt. Männer sind in der Regel die primitiveren Menschen, aber beim Windelriechen geht ein Schutzmechanismus im Kopf des Mannes an, der verhindert, dass wir an einem Erstickungstod sterben.

Folgende Situation: Der Kleine spielt beziehungsweise krabbelt und sabbert so durch die Gegend. Plötzlich macht sich ein sehr schwerer und intensiv süßlicher Geruch breit. Jeder im Raum befindliche Mann weiß genau, was passiert ist. Der Kleine hat mal wieder ordentlich in die Windel geschissen. Jetzt würde man denken, dass auch die Frau diesen sehr unangenehmen und extrem brennenden Geruch wahrnimmt. Pustekuchen, nix da, die Frau ignoriert den Geruch.

Selbst nach mehrmaligen Hinweisen auf die Situation bleibt die Frau ungerührt. Irgendwann fällt dann zwangsläufig vom Mann der Satz:

»Hör mal, auf der Windelpackung steht zwar sechs bis zwölf Kilo; das muss man aber nicht ausreizen!«

Auch nach dieser eindeutigen Information lässt die Frau sich nicht aus ihrer Ruhe bringen. Da Frauen bekanntlich sehr sparsam (hahaha) sind, wickeln Frauen auch nicht einfach das Kind, sie nehmen sich erst mal das Kleine, heben es hoch, drücken den Arsch bzw. die Windel des Kindes in ihr Gesicht und riechen richtig heftig daran.

Auf die Frage des Mannes, was sie denn da mache, sagt sie ganz trocken, dass es sich ja auch um lediglich einen Pups handeln könnte.

? Hallo, ein Pups? Die ganze 120-m²-Wohnung stinkt, die Fenster sind beschlagen, der Hamster ist tot, was soll das für ein Pups sein? Es handelt sich hierbei um ein Kind und nicht um einen Elefanten oder einen betrunkenen Ehemann.

AUF DER WINDELPACKUNG STEHT ZWAR 6-12 KILO...
MUSS MAN ABER NICHT AUSREIZEN...
... HMPH ...
IST BESTIMMT NUR EIN PUPS...
RÖCHEL...
SNÜFF SNÜFF
REY

14. Junge Mütter

Glaub mal nicht, dass die Frau das Kind jetzt wickelt, nööö, jetzt schaut sie erst noch mal nach, indem sie den Finger zum Rand zwischen Arsch und Windel schiebt.

Halloooooo, hab ich da was verpasst? Wenn das Kind jetzt doch mal so richtig einen in die Windel gedonnert hätte, wie würde der Finger jetzt aussehen? Das ist den jungen Müttern total egal, ob Besuch da ist oder nicht. Der Finger macht den Gefühlstest.

Jetzt kennt man ja Frauen, die aus dem Kaffeesatz lesen, junge Mütter lesen aus der Windel. Die Windel ist noch nicht ganz geöffnet, da kommt sofort von der Frau: *»... ohhhh, da will der Papa/Onkel aber wickeln!!!«*

Sollte die Frau beim Wickeln folgende Satzanfänge tätigen, bitte sofort den Raum verlassen:
»Ohhhhh ...«
»Schaaaatz ...«
»Na, soll der Papa dir 'ne neue Windel machen?«

Schön ist ja auch immer, dass teilweise sechs Monate alte Kinder gefragt werden, ob der Papa sie wickeln soll oder lieber die Mama. Diesen Kindern ist das, wörtlich gesehen, scheißegal.

Zumal wir Männer gar nicht wickeln dürfen, auch da hängt das Leben der ganzen Familie von ab. Wir sind Männer, wir müssen Mammuts jagen. Stell dir mal vor, wir würden wickeln, und etwas von dem Windelinhalt bleibt an uns kleben, und wir sind dann danach auf der Jagd. Das Mammut würde uns 1000 Meter gegen den Wind riechen. Also, was sagt uns das? Wenn wir überleben wollen, dann können wir genetisch nicht wickeln. Das ist nun mal Naturgesetz.

Nachwort

So, liebe Männer und Frauen, ich hoffe, ihr hattet Spaß mit diesem Buch und seid jetzt nicht total zerstritten. Bitte nicht vergessen: Alles ist nur Spaß.

Sicherlich gibt es jetzt noch den einen oder anderen, der sich denkt »... *wat, das war alles, da fehlt doch noch was!!!*« Ich kann euch beruhigen, es geht mit Sicherheit weiter – und wenn es auf meiner Live-Tour ist.

Ich möchte natürlich nicht vergessen, mich bei den Menschen zu bedanken, die mir dieses Buch überhaupt ermöglicht haben. Menschen, die mich zum Schreiben motiviert oder durch ihr Verhalten dazu inspiriert haben, und vor allem die Menschen, die mir sehr viel im Leben bedeuten und für die ich diesen ganzen Scheiß überhaupt mache.

Danke an: Mama, Manuel, Mathias, Manuela, Celine, Fiona, Marc, Töne und Jürgen und die helfenden Engel. Danke auch an Anke, Johannes und Astrid. Besonderer Dank geht an die Langenscheidt-Crew. Danke auch an alle, die ich jetzt vor Aufregung vergessen habe. Ach, und danke an meine Grundschullehrerin Frau Schöwski und meinen Grundschullehrer Herrn Kratochvill; das wird aus einem, der nicht immer in der Schule aufgepasst hat: Er schreibt einen Sprachführer. Danke auch an meinen Pfarrer, der mich getauft hat und mich überredet hat, Messdiener zu werden. Sie sehen, was das aus mir gemacht hat.

Stichwortverzeichnis

Die Zahl hinter dem Stichwort gibt das Kapitel an.

Das Hörbuch zum Bestseller!

► **Die schnelle Hilfe für den ratlosen Mann auch auf Audio-CD.**

Hörbuch
Langenscheidt
Frau-Deutsch / Deutsch-Frau
ISBN 978-3-468-73116-7
€ 14,95* [D] • € 15,50* [A] • CHF 28,30*

*) unverb. Preisempfehlung

Infos & mehr
www.langenscheidt.de/frau-deutsch

Langenscheidt
...weil Sprachen verbinden

Die CD Überall im Handel

82876 55177 2

Stand-Up-Comedy der Spitzenklasse

BMG www.bmg.de www.zampano1.de ZAMPANO